Thomas J

**La biografía del autor y ar(. .
espíritu, la libertad y el arte de América**

Por la Biblioteca Unida

Introducción

¿Quiere saber más sobre uno de los estadounidenses más influyentes de la historia?

Thomas Jefferson no sólo fue un autor y arquitecto del poder, el espíritu, la libertad y el arte de Estados Unidos, sino también un Padre Fundador que dio forma a nuestro país hasta convertirlo en lo que es hoy. Este libro biográfico cuenta su historia con todo detalle.

Thomas Jefferson es una de las figuras más importantes e influyentes de la historia de Estados Unidos. Como tercer Presidente de los Estados Unidos, desempeñó un papel fundamental en la configuración del futuro del país. Como arquitecto de la Revolución Americana, ayudó a establecer los principios de libertad y democracia que han llegado a definir la nación.

Como escritor y pensador, influyó en generaciones de estadounidenses con su visión de una sociedad libre y justa. Y como artista y arquitecto, dejó un legado duradero en forma de algunos de los edificios y monumentos más emblemáticos de Estados Unidos. Jefferson fue un hombre de muchos talentos y logros, y la historia de su vida es realmente notable. En este libro biográfico, los lectores conocerán la infancia y la educación de Jefferson, su incansable labor en favor de la libertad y la democracia, y su impacto duradero en la cultura estadounidense. Se trata de una lectura obligada para cualquier persona interesada en saber más sobre una de las figuras más importantes de la historia de Estados Unidos.

Podrás leer sobre la vida de Jefferson como político estadounidense, diplomático, Padre Fundador, presidente y mucho más. Este libro es perfecto para cualquiera que quiera aprender más sobre esta importante figura de la historia.

Índice de contenidos

Thomas Jefferson

Thomas Jefferson (13 de abril de 1743 - 4 de julio de 1826) fue un estadista, diplomático, abogado, arquitecto, filósofo y Padre Fundador estadounidense que ocupó el cargo de tercer presidente de los Estados Unidos entre 1801 y 1809. Anteriormente fue el segundo vicepresidente de los Estados Unidos con John Adams y el primer secretario de Estado de los Estados Unidos con George Washington. Principal autor de la Declaración de Independencia, Jefferson fue un defensor de la democracia, el republicanismo y los derechos individuales, motivando a los colonos estadounidenses a romper con el Reino de Gran Bretaña y formar una nueva nación; elaboró documentos y decisiones formativas tanto a nivel estatal como nacional.

Durante la Revolución Americana, Jefferson representó a Virginia en el Congreso Continental que aprobó la Declaración de Independencia. Como legislador de Virginia, redactó una ley estatal para la libertad religiosa. Fue el segundo gobernador de Virginia de 1779 a 1781, durante la Guerra de la Independencia. En 1785, Jefferson fue nombrado ministro de Estados Unidos en Francia y, posteriormente, primer secretario de Estado de la nación bajo el mandato del presidente George Washington, de 1790 a 1793. Jefferson y James Madison organizaron el Partido Demócrata-Republicano para oponerse al Partido Federalista durante la formación del Primer Sistema de Partidos. Junto con Madison, redactó de forma anónima las provocadoras Resoluciones de Kentucky y Virginia en 1798 y 1799, que pretendían reforzar los derechos de los estados anulando las leyes federales de Extranjería y Sedición.

Jefferson y el federalista John Adams se convirtieron en amigos y rivales políticos, sirviendo en el Congreso

Continental y redactando juntos la Declaración de Independencia. En las elecciones presidenciales de 1796 entre ambos, Jefferson quedó en segundo lugar, lo que, según el procedimiento electoral de la época, le convertía en vicepresidente de Adams. Jefferson volvió a desafiar a Adams en 1800 y ganó la presidencia. Tras su mandato, Jefferson acabó reconciliándose con Adams y compartieron una correspondencia que duró catorce años.

Como presidente, Jefferson persiguió los intereses marítimos y comerciales de la nación contra los piratas berberiscos y la agresiva política comercial británica. A partir de 1803, promovió una política expansionista hacia el oeste con la Compra de Luisiana, que duplicó la superficie territorial reclamada por la nación. Para hacer sitio a los asentamientos, Jefferson inició el proceso de expulsión de las tribus indias del territorio recién adquirido. Como resultado de las negociaciones de paz con Francia, su administración redujo las fuerzas militares. Fue reelegido en 1804, pero su segundo mandato estuvo plagado de dificultades en su país, incluido el juicio del ex vicepresidente Aaron Burr. En 1807, el comercio exterior estadounidense disminuyó cuando Jefferson aplicó la Ley de Embargo en respuesta a las amenazas británicas a la navegación estadounidense. Ese mismo año, Jefferson firmó la Ley de Prohibición de la Importación de Esclavos.

Jefferson, aunque principalmente era propietario de plantaciones, abogado y político, dominaba muchas disciplinas, desde la topografía y las matemáticas hasta la horticultura y la mecánica. También era un arquitecto de tradición clásica. El gran interés de Jefferson por la religión y la filosofía le llevó a presidir la Sociedad Filosófica Americana; rehuía la religión organizada, pero estaba influenciado por el cristianismo, el epicureísmo y el deísmo. Jefferson rechazó el cristianismo fundamental, negando la divinidad de Cristo. Como filólogo, Jefferson conocía varios idiomas. Fue un prolífico escritor de cartas y mantuvo correspondencia con muchas personas destacadas, como Edward Carrington, John Taylor de Caroline y James Madison. Entre sus libros se encuentra *Notas sobre el estado de Virginia* (1785), considerado quizá el libro estadounidense más importante publicado antes de 1800. Jefferson defendió los ideales, valores y enseñanzas de la Ilustración.

A lo largo de su vida, Jefferson fue propietario de más de 600 esclavos, que se mantuvieron en su casa y en sus plantaciones. Desde la época de Jefferson, la controversia ha girado en torno a su relación con Sally Hemings, una mujer mestiza esclavizada y hermanastra de su difunta esposa. Según las pruebas de ADN de los descendientes supervivientes y la historia oral, Jefferson tuvo al menos seis hijos con Hemings, cuatro de los cuales llegaron a la edad adulta. Las pruebas sugieren que Jefferson comenzó la relación con Hemings cuando estaban en París, algún tiempo después de que ella llegara allí a la edad de 14 o 15 años, cuando Jefferson tenía 44 años. Cuando regresó a Estados Unidos, a los 16 ó 17 años, ya estaba embarazada.

Tras retirarse de los cargos públicos, Jefferson fundó la Universidad de Virginia. Tanto él como John Adams murieron el 4 de julio de 1826, en el 50º aniversario de la independencia de Estados Unidos. Los estudiosos e historiadores de la presidencia suelen elogiar los logros públicos de Jefferson, incluida su defensa de la libertad religiosa y la tolerancia en Virginia. Los historiadores también admiran la adquisición pacífica por parte del Presidente Jefferson del Territorio de Luisiana a Francia sin guerras ni controversias, además del éxito de su ambiciosa Expedición Lewis y Clark. Aunque los historiadores modernos critican su implicación con la esclavitud, Jefferson está considerado de forma abrumadora como uno de los mejores presidentes de la historia de Estados Unidos.

Primeros años de vida

Thomas Jefferson nació el 13 de abril de 1743 (2 de abril de 1743, estilo antiguo, calendario juliano), en la plantación familiar de Shadwell, en la colonia de Virginia, siendo el tercero de diez hijos. Era de ascendencia inglesa, y posiblemente galesa, y nació como súbdito británico. Su padre, Peter Jefferson, era un plantador y topógrafo que murió cuando Jefferson tenía catorce años; su madre era Jane Randolph. Peter Jefferson trasladó a su familia a la plantación de Tuckahoe en 1745 tras la muerte de William Randolph III, propietario de la plantación y amigo de Jefferson, quien en su testamento había nombrado a Peter tutor de los hijos de Randolph. Los Jefferson regresaron a Shadwell en 1752, donde Peter murió en 1757; su patrimonio se dividió entre sus hijos Thomas y Randolph. John Harvie padre se convirtió entonces en el tutor de Thomas. En 1753 asistió a la boda de su tío Field Jefferson con Mary Allen Hunt, que se convirtió en una amiga íntima y en su primer mentor. Thomas heredó aproximadamente 5.000 acres (2.000 ha; 7,8 millas cuadradas) de tierra, incluyendo Monticello, y asumió plena autoridad sobre su propiedad a la edad de 21 años.

Educación, vida familiar temprana

Jefferson comenzó su educación junto a los niños Randolph por medio de tutores en Tuckahoe. El padre de Thomas, Peter, era autodidacta, lamentaba no haber recibido una educación formal e ingresó a Thomas en una escuela inglesa a los cinco años. En 1752, a la edad de nueve años, asistió a una escuela local dirigida por un ministro presbiteriano escocés y también comenzó a estudiar el mundo natural, que llegó a amar. En esta época comenzó a estudiar latín, griego y francés, al tiempo que aprendía a montar a caballo. Thomas también leía libros de la modesta biblioteca de su padre. De 1758 a 1760 recibió clases del reverendo James Maury cerca de Gordonsville, Virginia, donde estudió historia, ciencias y los clásicos mientras se alojaba con la familia de Maury. A continuación, Jefferson conoció y entabló amistad con varios indios americanos, entre ellos el famoso jefe cherokee *Ontasseté,* que a menudo se detenía en Shadwell para visitarlos de camino a Williamsburg para comerciar. Durante los dos años que Jefferson estuvo con la familia Maury, viajó a Williamsburg y fue huésped del coronel Dandridge, padre de Martha Washington. En Williamsburg, el joven Jefferson conoció y llegó a admirar a Patrick Henry, ocho años mayor que él, y compartieron un interés común por tocar el violín.

Jefferson ingresó en el College of William & Mary de Williamsburg, Virginia, a los 16 años y estudió matemáticas, metafísica y filosofía con el profesor William Small. Bajo la tutela de Small, Jefferson conoció las ideas de los empiristas británicos, como John Locke, Francis Bacon e Isaac Newton. Small presentó a Jefferson a George Wythe y Francis Fauquier. Small, Wythe y Fauquier reconocieron a Jefferson como un hombre de excepcional capacidad y lo incluyeron en su círculo íntimo, donde se convirtió en un miembro habitual de sus cenas de los viernes, en las que se discutía de política y filosofía. Jefferson escribió más tarde que "escuchó más sentido común, más conversaciones racionales y filosóficas que en todo el resto de mi vida". Durante su primer año en el colegio se entregó más a las fiestas y los bailes y no fue muy frugal con sus gastos; en su segundo año, lamentando haber malgastado mucho tiempo y dinero, se dedicó a estudiar quince horas al día. Jefferson mejoró su francés y griego y su habilidad con el violín. Se graduó dos años después de empezar en 1762. Leyó derecho bajo la tutela de Wythe para obtener su licencia de abogado mientras trabajaba como empleado en su oficina. También leyó una gran variedad de clásicos ingleses y obras políticas. Jefferson era un gran conocedor de una gran variedad de temas, que junto con el derecho y la filosofía, incluían la historia, el derecho natural, la religión natural, la ética y varias áreas de la ciencia, incluida la agricultura. En general, se inspiró mucho en los filósofos. Durante los años de estudio bajo la atenta mirada de Wythe, Jefferson redactó un resumen de sus extensas lecturas en su *Libro del Lugar Común*. Wythe quedó tan impresionado con Jefferson que más tarde le legó toda su biblioteca.

El año 1765 fue muy agitado en la familia de Jefferson. En julio, su hermana Martha se casó con su íntimo amigo y compañero de universidad Dabney Carr, lo que alegró mucho a Jefferson. En octubre, lloró la inesperada muerte de su hermana Jane a los 25 años y escribió un epitafio de despedida en latín. Jefferson atesoraba sus libros y amasó tres bibliotecas en vida. La primera, una biblioteca de 200 volúmenes iniciada en su juventud que incluía libros heredados de su padre y que le había dejado George Wythe, fue destruida cuando su casa de Shadwell ardió en un incendio en 1770. Sin embargo, en 1773 había repuesto su colección con 1.250 títulos, y en 1814 ésta había crecido hasta alcanzar casi 6.500 volúmenes. Organizó su amplia variedad de libros en tres grandes categorías que se correspondían con los elementos de la mente humana: la memoria, la razón y la imaginación. Después de que los británicos quemaran la Biblioteca del Congreso durante la quema de Washington, vendió esta segunda biblioteca al gobierno estadounidense para poner en marcha la colección de la Biblioteca del Congreso, por el precio de 23.950 dólares. Jefferson utilizó una parte del dinero obtenido por la venta para pagar parte de su gran deuda, remitiendo 10.500 dólares a William Short y 4.870 dólares a John Barnes de Georgetown. Sin embargo, pronto reanudó la recolección para su biblioteca personal, escribiendo a John Adams: "No puedo vivir sin libros". Comenzó a construir una nueva biblioteca con sus favoritos personales y para el momento de su muerte, una década más tarde, había crecido hasta casi 2.000 volúmenes.

Abogado y Cámara de Burgueses

Jefferson fue admitido en el colegio de abogados de Virginia en 1767, y vivió con su madre en Shadwell. Jefferson también representó al condado de Albemarle como delegado en la Cámara de Burgueses de Virginia desde 1769 hasta 1775. Persiguió la reforma de la esclavitud, ofreciendo en 1769 una legislación que permitiera a los amos controlar la emancipación de los esclavos, quitando discrecionalidad al gobernador real y al Tribunal General. Convenció a su primo Richard Bland para que encabezara la aprobación de la legislación, pero la reacción fue muy negativa.

Jefferson aceptó siete casos de esclavos que buscaban la libertad y renunció a sus honorarios por un cliente, que reclamaba que debía ser liberado antes de la edad reglamentaria de treinta y un años requerida para la emancipación en casos con abuelos interraciales. Invocó la Ley Natural para argumentar que "toda persona viene al mundo con derecho a su propia persona y a usarla a su antojo... Esto es lo que se llama libertad personal, y le es dado por el autor de la naturaleza, porque es necesario para su propio sustento". El juez le interrumpió y falló en contra de su cliente. Como consuelo, Jefferson dio a su cliente algo de dinero, que posiblemente utilizó para ayudar a su fuga poco después. Más tarde incorporó este sentimiento a la Declaración de Independencia. También se encargó de 68 casos para el Tribunal General de Virginia en 1767, además de tres casos notables: *Howell contra Netherland* (1770), *Bolling contra Bolling* (1771) y *Blair contra Blair* (1772).

El parlamento británico aprobó las Leyes Intolerables en 1774, y Jefferson escribió una resolución en la que pedía un "Día de Ayuno y Oración" en señal de protesta, así como un boicot a todos los productos británicos. Su resolución se amplió posteriormente en *Una visión resumida de los derechos de la América británica*, en la que sostenía que el pueblo tiene derecho a gobernarse a sí mismo.

Monticello, el matrimonio y la familia

En 1768, Jefferson comenzó a construir su residencia principal, Monticello (que en italiano significa "Pequeña Montaña"), en la cima de una colina que domina su plantación de 5.000 acres (20 km^2 ; 7,8 millas cuadradas). Pasó la mayor parte de su vida adulta diseñando Monticello como arquitecto y se le citó diciendo: "La arquitectura es mi deleite, y levantar y derribar, una de mis diversiones favoritas". La construcción fue realizada principalmente por albañiles y carpinteros locales, ayudados por los esclavos de Jefferson.

Se instaló en el Pabellón Sur en 1770. Convertir Monticello en una obra maestra neoclásica de estilo palladiano era su proyecto perenne. El 1 de enero de 1772, Jefferson se casó con su prima tercera Martha Wayles Skelton, viuda de 23 años de Bathurst Skelton, y se instaló en el Pabellón Sur. Era una anfitriona frecuente de Jefferson y se encargaba de la gran casa. El biógrafo Dumas Malone describió el matrimonio como el periodo más feliz de la vida de Jefferson. Martha leía mucho, hacía buenas labores de costura y era una hábil pianista; Jefferson la acompañaba a menudo con el violín o el chelo. Durante sus diez años de matrimonio, Martha tuvo seis hijos: Martha "Patsy" (1772-1836); Jane (1774-1775); un hijo que vivió sólo unas semanas en 1777; Mary "Polly" (1778-1804); Lucy Elizabeth (1780-1781); y otra Lucy Elizabeth (1782-1784). Sólo Martha y Mary sobrevivieron hasta la edad adulta.

El padre de Martha, John Wayles, murió en 1773, y la pareja heredó 135 esclavos, 11.000 acres (45 km^2 ; 17 sq mi) y las deudas de la finca. Jefferson tardó años en pagar las deudas, lo que contribuyó a sus problemas financieros.

Más tarde, Martha sufrió de mala salud, incluyendo diabetes, y los frecuentes partos la debilitaron aún más. Su madre había muerto joven, y Martha vivió de niña con dos madrastras. Unos meses después del nacimiento de su último hijo, murió el 6 de septiembre de 1782, con Jefferson junto a su cama. Poco antes de su muerte, Martha hizo prometer a Jefferson que no volvería a casarse, diciéndole que no podría soportar que otra madre criara a sus hijos. Jefferson estaba desconsolado por su muerte, caminando sin descanso de un lado a otro, casi hasta el punto de agotarse. Al cabo de tres semanas, salió de allí dando largos paseos por caminos solitarios con su hija Martha, que, según su descripción, fue "testigo solitario de muchos estallidos violentos de dolor".

Después de trabajar como secretario de Estado (1790-93), regresó a Monticello e inició una remodelación basada en los conceptos arquitectónicos que había adquirido en Europa. Las obras continuaron durante la mayor parte de su presidencia y se completaron en 1809.

Declaración de Independencia

Jefferson fue el principal autor de la Declaración de Independencia. Los ideales sociales y políticos del documento fueron propuestos por Jefferson antes de la toma de posesión de Washington. A la edad de 33 años, fue uno de los delegados más jóvenes en el Segundo Congreso Continental que comenzó en 1775 al inicio de la Guerra Revolucionaria Americana, donde una declaración formal de independencia de Gran Bretaña fue favorecida de forma abrumadora. Jefferson eligió sus palabras para la Declaración en junio de 1775, poco después de iniciada la guerra, donde la idea de la independencia de Gran Bretaña se había popularizado desde hacía tiempo entre las colonias. Se inspiró en los ideales de la Ilustración sobre la santidad del individuo, así como en los escritos de Locke y Montesquieu.

Buscó a John Adams, un líder emergente del Congreso. Se hicieron muy amigos y Adams apoyó el nombramiento de Jefferson para el Comité de los Cinco formado para redactar una declaración de independencia en cumplimiento de la Resolución Lee aprobada por el Congreso, que declaraba la independencia de las Colonias Unidas. El comité pensó inicialmente que Adams debía redactar el documento, pero Adams persuadió al comité para que eligiera a Jefferson.

Jefferson consultó con otros miembros del comité durante los diecisiete días siguientes y se basó en su propuesta de borrador de la Constitución de Virginia, en el borrador de la Declaración de Derechos de Virginia de George Mason y en otras fuentes. Los demás miembros del comité introdujeron algunos cambios, y el 28 de junio de 1776 se presentó al Congreso un borrador final.

La declaración se presentó el viernes 28 de junio y el Congreso comenzó a debatir su contenido el lunes 1 de julio, lo que dio lugar a la omisión de una cuarta parte del texto, incluyendo un pasaje crítico con el rey Jorge III y la "cláusula antiesclavista de Jefferson". A Jefferson le molestaron los cambios, pero no habló públicamente de las revisiones. El 4 de julio de 1776, el Congreso ratificó la Declaración, y los delegados la firmaron el 2 de agosto; al hacerlo, estaban cometiendo un acto de traición contra la Corona. El preámbulo de Jefferson se considera una declaración perdurable de los derechos humanos, y la frase "todos los hombres han sido creados iguales" ha sido calificada como "una de las frases más conocidas de la lengua inglesa" que contiene "las palabras más potentes y consecuentes de la historia americana".

Legislador y gobernador del estado de Virginia

Al comienzo de la Revolución, Jefferson era coronel y fue nombrado comandante de la Milicia del Condado de Albemarle el 26 de septiembre de 1775. En septiembre de 1776 fue elegido miembro de la Cámara de Delegados de Virginia por el condado de Albemarle, cuando la finalización de una constitución estatal era una prioridad.Durante casi tres años, colaboró con la constitución y se sintió especialmente orgulloso de su Proyecto de Ley para el Establecimiento de la Libertad Religiosa, que prohibía el apoyo estatal a las instituciones religiosas o la aplicación de la doctrina religiosa. El proyecto de ley no fue aprobado, al igual que su legislación para desestabilizar la Iglesia Anglicana, pero ambos fueron revividos posteriormente por James Madison.

En 1778, Jefferson recibió el encargo de revisar las leyes del estado. Redactó 126 proyectos de ley en tres años, incluyendo leyes para racionalizar el sistema judicial. Los estatutos propuestos por Jefferson preveían la educación general, que él consideraba la base del "gobierno republicano". Le alarmaba que la poderosa nobleza terrateniente de Virginia se estuviera convirtiendo en una aristocracia hereditaria. Tomó la iniciativa de abolir lo que llamaba "distinciones feudales y antinaturales". Se centró en leyes como la vinculación y la primogenitura, por las que el hijo mayor heredaba todas las tierras. Las leyes de la servidumbre la hacían perpetua: el que heredaba la tierra no podía venderla, sino que tenía que legarla a su hijo mayor. Como resultado, las plantaciones, cada vez más grandes, trabajadas por arrendatarios blancos y por esclavos negros, ganaron en tamaño, riqueza y poder político en las zonas tabacaleras del este ("Tidewater").

Durante la época de la Revolución, todas estas leyes fueron derogadas por los estados que las tenían.

Jefferson fue elegido gobernador por períodos de un año en 1779 y 1780. Trasladó la capital del estado de Williamsburg a Richmond, e introdujo medidas para la educación pública, la libertad religiosa y la revisión de las leyes de herencia.

Durante la invasión de Virginia por el general Benedict Arnold en 1781, Jefferson escapó de Richmond justo antes de que las fuerzas británicas y la ciudad fueran arrasadas por los hombres de Arnold. Jefferson envió un despacho de emergencia al coronel Sampson Mathews, cuya milicia viajaba cerca, para frustrar los esfuerzos de Arnold. Durante este tiempo, Jefferson vivía con amigos en los condados de los alrededores de Richmond. Uno de estos amigos era William Fleming, un amigo suyo de la universidad. Jefferson se quedó al menos una noche en su plantación Summerville en el condado de Chesterfield. El general Charles Cornwallis envió esa primavera una fuerza de caballería dirigida por Banastre Tarleton para capturar a Jefferson y a los miembros de la Asamblea en Monticello, pero Jack Jouett, de la milicia de Virginia, frustró el plan británico. Jefferson escapó a Poplar Forest, su plantación al oeste. Cuando la Asamblea General volvió a reunirse en junio de 1781, llevó a cabo una investigación sobre las acciones de Jefferson que finalmente concluyó que éste había actuado con honor, pero no fue reelegido.

En abril de ese mismo año, su hija Lucy murió a la edad de un año. Al año siguiente nació una segunda hija con ese nombre, pero murió a los tres años.

En 1782, Jefferson rechazó una oferta de asociación del gobernador de Carolina del Norte, Abner Nash, en un plan de venta de tierras confiscadas a los leales. A diferencia de otros Fundadores, en la búsqueda de tierras, Jefferson se contentó con su finca de Monticello y con las tierras que poseía en los alrededores del valle de Shenandoah, en Virginia. Jefferson quería que Monticello fuera un lugar de encuentro intelectual para sus amigos James Madison y James Monroe.

Notas sobre el Estado de Virginia

En 1780, Jefferson recibió una carta de consulta sobre la geografía, la historia y el gobierno de Virginia del diplomático francés François Barbé-Marbois, que estaba recopilando datos sobre los Estados Unidos. Jefferson incluyó sus respuestas escritas en un libro, *Notas sobre el estado de Virginia* (1785). Compiló el libro a lo largo de cinco años, incluyendo revisiones del conocimiento científico, la historia de Virginia, la política, las leyes, la cultura y la geografía. El libro explora lo que constituye una buena sociedad, utilizando a Virginia como ejemplo. Jefferson incluyó amplios datos sobre los recursos naturales y la economía del estado y escribió extensamente sobre la esclavitud, el mestizaje y su creencia de que negros y blancos no podían convivir como personas libres en una misma sociedad debido a los justificados resentimientos de los esclavizados. También escribió sobre su opinión acerca de los indios americanos y los consideraba iguales en cuerpo y mente a los colonos europeos.

Notes se publicó por primera vez en 1785 en francés y apareció en inglés en 1787. Su biógrafo, George Tucker, consideró la obra "sorprendente por el alcance de la información que un solo individuo había sido capaz de adquirir, en cuanto a las características físicas del estado", y Merrill D. Peterson la describió como un logro por el que todos los estadounidenses deberían estar agradecidos.

Congresista

Los Estados Unidos formaron un Congreso de la Confederación tras la victoria en la Guerra de la Independencia y un tratado de paz con Gran Bretaña en 1783, en el que Jefferson fue nombrado delegado de Virginia. Fue miembro del comité que fijaba los tipos de cambio y recomendó una moneda estadounidense basada en el sistema decimal, que fue adoptado. Aconsejó la formación del Comité de los Estados para llenar el vacío de poder cuando el Congreso estaba en receso. El Comité se reunía cuando el Congreso levantaba la sesión, pero los desacuerdos lo hacían disfuncional.

En la sesión del Congreso de 1783-84, Jefferson actuó como presidente de los comités encargados de establecer un sistema de gobierno viable para la nueva República y de proponer una política de asentamiento de los territorios del oeste. Jefferson fue el principal autor de la Ordenanza de Tierras de 1784, por la que Virginia cedía al gobierno nacional la vasta zona que reclamaba al noroeste del río Ohio. Insistió en que este territorio no debía ser utilizado como territorio colonial por ninguno de los trece estados, sino que debía ser dividido en secciones que pudieran convertirse en estados. Trazó las fronteras de nueve nuevos estados en su etapa inicial y redactó una ordenanza que prohibía la esclavitud en todos los territorios de la nación. El Congreso hizo amplias revisiones, incluyendo el rechazo a la prohibición de la esclavitud. Las disposiciones que prohibían la esclavitud se conocieron más tarde como la "Proviso de Jefferson"; se modificaron y aplicaron tres años después en la Ordenanza del Noroeste de 1787 y se convirtieron en la ley para todo el Noroeste.

Ministro en Francia

En 1784, Jefferson fue enviado por el Congreso de la Confederación para unirse a Benjamin Franklin y John Adams en París como Ministro Plenipotenciario para negociar tratados de amistad y comercio con Gran Bretaña, Rusia, Austria, Prusia, Dinamarca, Sajonia, Hamburgo, España, Portugal, Nápoles, Cerdeña, los Estados Papales, Venecia, Génova, Toscana, la Sublime Puerta, Marruecos, Argel, Túnez y Trípoli. Algunos creían que el recién enviudado Jefferson estaba deprimido y que la misión le distraería de la muerte de su esposa. Con su joven hija Patsy y dos sirvientes, partió en julio de 1784, llegando a París al mes siguiente. Menos de un año después se le asignó la tarea adicional de suceder a Franklin como ministro en Francia. El ministro de Asuntos Exteriores francés, el Conde de Vergennes, comentó: "He oído que sustituye a Monsieur Franklin". Jefferson contestó: "*Lo sustituyo*. Ningún hombre puede reemplazarlo". Durante sus cinco años en París, Jefferson desempeñó un papel destacado en la configuración de la política exterior de Estados Unidos.

Jefferson hizo educar a Patsy en la Abadía de Pentemont. En 1786, conoció y se enamoró de Maria Cosway, una consumada -y casada- música italiana-inglesa de 27 años. Se vieron con frecuencia durante un periodo de seis semanas. Ella regresó a Gran Bretaña, pero mantuvieron una correspondencia de por vida.

En junio de 1787, Jefferson mandó a buscar a su hija menor superviviente, Polly, de nueve años, que iba acompañada en su viaje por una joven esclava de Monticello, Sally Hemings. Jefferson había llevado a su hermano mayor, James Hemings, a París como parte de su personal doméstico y lo había instruido en la cocina francesa. Según el hijo de Sally, Madison Hemings, Sally, de 16 años, y Jefferson comenzaron una relación sexual en París, donde ella quedó embarazada. Según su relato, Hemings sólo aceptó volver a Estados Unidos cuando Jefferson le prometió liberar a sus hijos cuando fueran mayores de edad.

Durante su estancia en Francia, Jefferson se convirtió en compañero habitual del marqués de Lafayette, héroe francés de la Guerra de la Independencia estadounidense, y utilizó su influencia para conseguir acuerdos comerciales con Francia. Cuando comenzó la Revolución Francesa, Jefferson permitió que su residencia en París, el Hôtel de Langeac, fuera utilizada para las reuniones de Lafayette y otros republicanos. Estuvo en París durante el asalto a la Bastilla y consultó con Lafayette mientras éste redactaba la Declaración de los Derechos del Hombre y del Ciudadano. Jefferson se encontró a menudo con que su correo era abierto por los carteros, por lo que inventó su propio dispositivo de cifrado, la "Rueda de Cifrado"; escribió las comunicaciones importantes en clave durante el resto de su carrera. Jefferson se marchó de París a Estados Unidos en septiembre de 1789, con la intención de regresar pronto; sin embargo, el presidente George Washington le nombró primer secretario de Estado del país, lo que le obligó a permanecer en la capital de la nación. Jefferson siguió siendo un firme partidario de la Revolución Francesa, aunque se opuso a sus elementos más violentos.

Secretario de Estado

Poco después de regresar de Francia, Jefferson aceptó la invitación de Washington para ser secretario de Estado. Las cuestiones más urgentes en ese momento eran la deuda nacional y la ubicación permanente de la capital. Jefferson se oponía a una deuda nacional, prefiriendo que cada estado retirara la suya, en contraste con el Secretario del Tesoro Alexander Hamilton, que deseaba la consolidación de las deudas de varios estados por parte del gobierno federal. Hamilton también tenía planes audaces para establecer el crédito nacional y un banco nacional, pero Jefferson se opuso enérgicamente e intentó socavar su programa, lo que estuvo a punto de llevar a Washington a destituirlo de su gabinete. Más tarde, Jefferson abandonó el gabinete voluntariamente.

La segunda cuestión importante era la ubicación permanente de la capital. Hamilton estaba a favor de una capital cercana a los principales centros comerciales del noreste, mientras que Washington, Jefferson y otros agrarios querían que se ubicara al sur. Tras un prolongado estancamiento, se llegó al Compromiso de 1790, que situó la capital de forma permanente en el río Potomac, y el gobierno federal asumió las deudas de guerra de los trece estados.

Mientras servía en el gobierno de Filadelfia, Jefferson y su protegido político, el congresista James Madison, fundaron la *Gaceta Nacional* en 1791, junto con el poeta y escritor Phillip Freneau, en un esfuerzo por contrarrestar las políticas federalistas de Hamilton, que éste promovía a través del influyente periódico federalista *Gazette of the United States*. La Gaceta *Nacional* criticaba especialmente las políticas promovidas por Hamilton, a menudo a través de ensayos anónimos firmados con el seudónimo *Brutus* a instancias de Jefferson, que en realidad estaban escritos por Madison. En la primavera de 1791, Jefferson y Madison se fueron de vacaciones a Vermont. Jefferson había estado sufriendo migrañas y estaba cansado de las peleas internas de Hamilton.

En mayo de 1792, Jefferson estaba alarmado por las rivalidades políticas que estaban tomando forma; escribió a Washington, instándole a presentarse a la reelección ese año como influencia unificadora. Instó al presidente a unir a los ciudadanos a un partido que defendiera la democracia contra la influencia corruptora de los bancos y los intereses monetarios, como propugnaban los federalistas. Los historiadores reconocen esta carta como la primera definición de los principios del Partido Demócrata-Republicano. Jefferson, Madison y otros organizadores demócratas-republicanos estaban a favor de los derechos de los estados y del control local y se oponían a la concentración de poder federal, mientras que Hamilton buscaba más poder para el gobierno federal.

Jefferson apoyó a Francia contra Gran Bretaña cuando ambas naciones se enfrentaron en 1793, aunque sus argumentos en el Gabinete se vieron socavados por el desprecio abierto del enviado revolucionario francés Edmond-Charles Genêt hacia el presidente Washington. En sus conversaciones con el ministro británico George Hammond, Jefferson intentó sin éxito persuadir a los británicos de que abandonaran sus puestos en el Noroeste y compensaran a Estados Unidos por los esclavos que los británicos habían liberado al final de la guerra. Buscando volver a la vida privada, Jefferson renunció a su puesto en el gabinete en diciembre de 1793, quizás para reforzar su influencia política desde fuera de la administración.

Después de que el gobierno de Washington negociara el Tratado Jay con Gran Bretaña (1794), Jefferson vio una causa en torno a la cual reunir a su partido y organizó una oposición nacional desde Monticello. El tratado, diseñado por Hamilton, pretendía reducir las tensiones y aumentar el comercio. Jefferson advirtió que aumentaría la influencia británica y subvertiría el republicanismo, calificándolo como "el acto más audaz que [Hamilton y Jay] hayan aventurado para socavar el gobierno". El Tratado fue aprobado, pero expiró en 1805 durante el gobierno de Jefferson y no fue renovado. Jefferson continuó con su postura pro-francesa; durante la violencia del Reinado del Terror, se negó a repudiar la revolución: "Apartarse de Francia sería socavar la causa del republicanismo en América".

Vicepresidencia

En la campaña presidencial de 1796, Jefferson perdió la votación del colegio electoral frente al federalista John Adams por 71 a 68, por lo que fue elegido vicepresidente. Como presidente del Senado, asumió un papel más pasivo que su predecesor John Adams. Permitió que el Senado celebrara libremente los debates y limitó su participación a las cuestiones de procedimiento, lo que calificó como un papel "honorable y fácil". Jefferson había estudiado previamente el derecho y el procedimiento parlamentarios durante 40 años, lo que le hacía estar inmejorablemente cualificado para ejercer la presidencia. En 1800, publicó sus notas sobre el procedimiento del Senado como *Manual de la práctica parlamentaria*. Jefferson sólo emitió tres votos de desempate en el Senado.

Jefferson mantuvo cuatro conversaciones confidenciales con el cónsul francés Joseph Létombe en la primavera de 1797, en las que atacó a Adams, prediciendo que su rival sólo cumpliría un mandato. También animó a Francia a invadir Inglaterra y aconsejó a Létombe que entretuviera a los enviados estadounidenses enviados a París instruyéndole para que "los escuchara y luego alargara las negociaciones y los apaciguara con la urbanidad de los procedimientos". Esto endureció el tono que el gobierno francés adoptó hacia la administración de Adams. Después de que los enviados de paz iniciales de Adams fueran rechazados, Jefferson y sus partidarios presionaron para que se publicaran los documentos relacionados con el incidente, llamado el Asunto XYZ por las cartas utilizadas para ocultar las identidades de los funcionarios franceses implicados. Sin embargo, la táctica resultó contraproducente cuando se descubrió que los funcionarios franceses habían exigido sobornos, lo que hizo que la opinión pública se pusiera en contra de

Francia. Estados Unidos inició una guerra naval no declarada con Francia conocida como la Cuasi-Guerra.

Durante la presidencia de Adams, los federalistas reconstruyeron el ejército, recaudaron nuevos impuestos y promulgaron las Leyes de Extranjería y Sedición. Jefferson creía que estas leyes estaban destinadas a reprimir a los demócratas-republicanos, más que a perseguir a los extranjeros enemigos, y las consideraba inconstitucionales. Para oponerse, él y James Madison redactaron de forma anónima las Resoluciones de Kentucky y Virginia, en las que declaraban que el gobierno federal no tenía derecho a ejercer poderes que no le hubieran sido específicamente delegados por los estados. Las resoluciones seguían el enfoque de "interposición" de Madison, según el cual los estados pueden proteger a sus ciudadanos de las leyes federales que consideren inconstitucionales. Jefferson abogaba por la anulación, permitiendo a los estados invalidar por completo las leyes federales. Jefferson advirtió que, "a menos que sean detenidas en el umbral", las Leyes de Extranjería y Sedición "conducirían necesariamente a estos estados a la revolución y a la sangre".

El historiador Ron Chernow afirma que "el daño teórico de las Resoluciones de Kentucky y Virginia fue profundo y duradero, y constituyó una receta para la desunión", contribuyendo a la Guerra Civil estadounidense, así como a acontecimientos posteriores. Washington estaba tan consternado por las resoluciones que le dijo a Patrick Henry que, si se perseguían "sistemática y pertinazmente", las resoluciones "disolverían la unión o producirían coerción".

Jefferson siempre había admirado la capacidad de liderazgo de Washington, pero consideraba que su partido federalista estaba llevando al país en la dirección equivocada. Jefferson pensó que era prudente no asistir a su funeral en 1799 debido a sus agudas diferencias con Washington cuando era secretario de Estado, y permaneció en Monticello.

Elección de 1800

En las elecciones presidenciales de 1800, Jefferson se enfrentó una vez más al federalista John Adams. La campaña de Adams se vio debilitada por unos impuestos impopulares y por las despiadadas luchas internas de los federalistas en torno a su actuación en la Cuasi-Guerra. Los demócratas-republicanos señalaron las Leyes de Extranjería y Sedición y acusaron a los federalistas de ser monárquicos secretos a favor de Gran Bretaña, mientras que los federalistas acusaron a Jefferson de ser un libertino impío esclavizado por los franceses. La historiadora Joyce Appleby dijo que la elección fue "una de las más enconadas en los anales de la historia de Estados Unidos".

Los demócratas-republicanos ganaron finalmente más votos en el colegio electoral, aunque sin los votos de los electores adicionales que resultaron de la adición de tres quintos de los esclavos del Sur al cálculo de la población, Jefferson no habría derrotado a John Adams. Jefferson y su candidato a la vicepresidencia, Aaron Burr, recibieron inesperadamente un total igual. Debido al empate, la elección fue decidida por la Cámara de Representantes, dominada por los federalistas. Hamilton presionó a los representantes federalistas en favor de Jefferson, por considerarlo un mal político menor que Burr. El 17 de febrero de 1801, después de treinta y seis votaciones, la Cámara eligió a Jefferson como presidente y a Burr como vicepresidente. Jefferson se convirtió en el segundo vicepresidente en funciones en ser elegido presidente.

La victoria estuvo marcada por las celebraciones demócratas-republicanas en todo el país. Algunos de los oponentes de Jefferson argumentaron que debía su victoria sobre Adams al número inflado de electores del Sur, debido a que los esclavos se contaban como una población parcial bajo el Compromiso de los Tres Quintos. Otros alegaron que Jefferson se aseguró el voto electoral de desempate de James Asheton Bayard al garantizar la retención de varios puestos federalistas en el gobierno. Jefferson refutó la acusación, y el registro histórico no es concluyente.

La transición se llevó a cabo sin problemas, marcando un hito en la historia de Estados Unidos. Como escribe el historiador Gordon S. Wood, "fue una de las primeras elecciones populares de la historia moderna que dio lugar a la transferencia pacífica del poder de un "partido" a otro".

Presidencia

Jefferson prestó juramento ante el presidente del Tribunal Supremo, John Marshall, en el nuevo Capitolio de Washington, D.C., el 4 de marzo de 1801. A su toma de posesión no asistió el presidente saliente Adams. A diferencia de sus predecesores, Jefferson mostró una aversión a la etiqueta formal; llegó solo a caballo sin escolta, se vistió con sencillez y, tras desmontar, retiró su propio caballo al establo cercano. Su discurso de investidura tuvo una nota de reconciliación, al declarar: "Se nos ha llamado con diferentes nombres a hermanos de un mismo principio. Todos somos republicanos, todos somos federalistas". Desde el punto de vista ideológico, Jefferson hizo hincapié en la "justicia igual y exacta para todos los hombres", los derechos de las minorías y la libertad de expresión, religión y prensa. Decía que un gobierno libre y democrático era "el gobierno más fuerte de la tierra". Nombró a republicanos moderados para su gabinete: James Madison como secretario de Estado, Henry Dearborn como secretario de Guerra, Levi Lincoln como fiscal general y Robert Smith como secretario de la Marina.

Jefferson necesitaba una anfitriona cuando había damas en la Casa Blanca. Su esposa, Martha, había muerto en 1782. Las dos hijas de Jefferson, Martha Jefferson Randolph y Maria Jefferson Eppes, desempeñaron ocasionalmente ese papel. El 27 de mayo de 1801, Jefferson pidió a Dolley Madison, esposa de su viejo amigo James Madison, que fuera la anfitriona permanente de la Casa Blanca. Ella aceptó, consciente de la importancia diplomática del cargo. También se encargó de terminar la mansión de la Casa Blanca. Dolley ejerció de anfitriona de la Casa Blanca durante el resto de los dos mandatos de Jefferson y luego ocho años más como Primera Dama del presidente James Madison, sucesor de Jefferson. Los historiadores han especulado que Martha

Jefferson habría sido una elegante Primera Dama a la altura de Martha Washington. Aunque murió antes de que su marido tomara posesión del cargo, a veces se considera a Martha Jefferson como una Primera Dama.

Asuntos financieros

Al asumir el cargo, primero se enfrentó a una deuda nacional de 83 millones de dólares. Comenzó a desmantelar el sistema fiscal federalista de Hamilton con la ayuda del Secretario del Tesoro Albert Gallatin. La administración de Jefferson eliminó el impuesto sobre el whisky y otros impuestos tras cerrar "oficinas innecesarias" y recortar "establecimientos y gastos inútiles". Intentaron desmontar el banco nacional y su efecto de aumentar la deuda nacional, pero fueron disuadidos por Gallatin. Jefferson redujo la Armada, por considerarla innecesaria en tiempos de paz. En su lugar, incorporó una flota de lanchas cañoneras de bajo coste utilizadas únicamente para la defensa, con la idea de que no provocaran hostilidades extranjeras. Después de dos mandatos, había reducido la deuda nacional de 83 millones de dólares a 57 millones.

Asuntos internos

Jefferson indultó a varios de los encarcelados por las Leyes de Extranjería y Sedición. Los republicanos del Congreso revocaron la Ley Judicial de 1801, que destituyó a casi todos los "jueces de medianoche" de Adams. Una batalla posterior por los nombramientos condujo a la histórica decisión del Tribunal Supremo en el caso *Marbury contra Madison*, que afirmaba la revisión judicial de las acciones del poder ejecutivo. Jefferson nombró a tres jueces del Tribunal Supremo: William Johnson (1804), Henry Brockholst Livingston (1807) y Thomas Todd (1807).

Jefferson sentía fuertemente la necesidad de una universidad militar nacional, que produjera un cuerpo de oficiales de ingeniería para una defensa nacional basada en el avance de las ciencias, en lugar de tener que depender de fuentes extranjeras para ingenieros de alto grado con una lealtad cuestionable. El 16 de marzo de 1802 firmó la Ley de Establecimiento de la Paz Militar, fundando así la Academia Militar de los Estados Unidos en West Point. El Acta documentó en 29 secciones un nuevo conjunto de leyes y límites para el ejército. Jefferson también esperaba llevar a cabo una reforma en el poder ejecutivo, sustituyendo a los federalistas y a los opositores activos en todo el cuerpo de oficiales para promover los valores republicanos.

Jefferson se interesó mucho por la Biblioteca del Congreso, creada en 1800. A menudo recomendaba la adquisición de libros. En 1802, una ley del Congreso autorizó al presidente Jefferson a nombrar al primer Bibliotecario del Congreso y le otorgó el poder de establecer las normas y reglamentos de la biblioteca. Esta ley también concedía al presidente y al vicepresidente el derecho a utilizar la biblioteca.

Asuntos exteriores (1801-1805)

Primera Guerra de Berbería

Los barcos mercantes estadounidenses habían sido protegidos de los piratas de la Costa de Berbería por la Marina Real cuando los estados eran colonias británicas. Sin embargo, después de la independencia, los piratas a menudo capturaban barcos mercantes estadounidenses, saqueaban los cargamentos y esclavizaban o retenían a los miembros de la tripulación para pedir rescate. Jefferson se oponía al pago de tributos a los Estados de Berbería desde 1785. En marzo de 1786, él y John Adams fueron a Londres para negociar con el enviado de Trípoli, el embajador Sidi Haji Abdrahaman (o Sidi Haji Abdul Rahman Adja). En 1801, autorizó a una flota de la Armada estadounidense al mando del comodoro Richard Dale a hacer una demostración de fuerza en el Mediterráneo, la primera escuadra naval estadounidense que cruzó el Atlántico. Tras el primer enfrentamiento de la flota, solicitó con éxito al Congreso una declaración de guerra. La subsiguiente "Primera Guerra de Berbería" fue la primera guerra exterior librada por Estados Unidos.

El pachá de Trípoli, Yusuf Karamanli, capturó el USS *Philadelphia*, por lo que Jefferson autorizó a William Eaton, cónsul de Estados Unidos en Túnez, a dirigir una fuerza para restaurar al hermano mayor del pachá en el trono. La armada estadounidense obligó a Túnez y Argel a romper su alianza con Trípoli. Jefferson ordenó cinco bombardeos navales distintos de Trípoli, lo que llevó al pachá a firmar un tratado que restablecía la paz en el Mediterráneo. Esta victoria resultó ser sólo temporal, pero según Wood, "muchos estadounidenses la celebraron como una reivindicación de su política de extender el libre comercio por el mundo y como una gran victoria de la libertad sobre la tiranía".

Compra de Luisiana

España cedió la propiedad del territorio de Luisiana en 1800 a la más predominante Francia. A Jefferson le preocupaba mucho que los amplios intereses de Napoleón en el vasto territorio amenazaran la seguridad del continente y la navegación del río Misisipi. Escribió que la cesión "perjudica enormemente a los Estados Unidos, ya que invierte por completo todas sus relaciones políticas". En 1802, encargó a James Monroe y a Robert R. Livingston que negociaran con Napoleón la compra a Francia de Nueva Orleans y las zonas costeras adyacentes. A principios de 1803, Jefferson ofreció a Napoleón casi 10 millones de dólares por 40.000 millas cuadradas (100.000 kilómetros cuadrados) de territorio tropical.

Napoleón se dio cuenta de que el control militar francés era inviable en un territorio tan extenso y remoto, y que necesitaba urgentemente fondos para sus guerras en el frente interno. A principios de abril de 1803, hizo inesperadamente a los negociadores una contraoferta para vender 827.987 millas cuadradas (2.144.480 kilómetros cuadrados) de territorio francés por 15 millones de dólares, lo que duplicaba el tamaño de Estados Unidos. Los negociadores estadounidenses aprovecharon esta oportunidad única y aceptaron la oferta y firmaron el tratado el 30 de abril de 1803. La noticia de la inesperada compra no llegó a Jefferson hasta el 3 de julio de 1803. Sin saberlo, adquirió la extensión de tierra más fértil de su tamaño en la Tierra, haciendo que el nuevo país fuera autosuficiente en alimentos y otros recursos. La venta también redujo significativamente la presencia europea en Norteamérica, eliminando los obstáculos a la expansión de Estados Unidos hacia el oeste.

La mayoría pensó que se trataba de una oportunidad excepcional, a pesar de las reservas republicanas sobre la autoridad constitucional del gobierno federal para adquirir tierras. En un principio, Jefferson pensó que era necesaria una enmienda constitucional para comprar y gobernar el nuevo territorio; pero más tarde cambió de opinión, temiendo que esto diera pie a oponerse a la compra, por lo que instó a un rápido debate y ratificación. El 20 de octubre de 1803, el Senado ratificó el tratado de compra por una votación de 24 a 7.

Tras la compra, Jefferson conservó el código legal español de la región e instituyó un enfoque gradual para integrar a los colonos en la democracia estadounidense. Creía que sería necesario un periodo de gobierno federal mientras los habitantes de Luisiana se adaptaban a su nueva nación. Los historiadores han diferido en sus valoraciones sobre las implicaciones constitucionales de la venta, pero suelen aclamar la adquisición de Luisiana como un gran logro. Frederick Jackson Turner calificó la compra como el acontecimiento más formativo de la historia estadounidense.

Expedición de Lewis y Clark (1803-1806)

Jefferson preveía más asentamientos hacia el oeste debido a la Compra de Luisiana y dispuso la exploración y cartografía del territorio inexplorado. Trató de establecer una reclamación estadounidense por delante de los intereses europeos en competencia y de encontrar el rumoreado Paso del Noroeste. Jefferson y otros se vieron influidos por los relatos de exploración de Le Page du Pratz en Luisiana (1763) y del capitán James Cook en el Pacífico (1784), y convencieron al Congreso en 1804 para que financiara una expedición para explorar y cartografiar el territorio recién adquirido hasta el Océano Pacífico.

Jefferson nombró a Meriwether Lewis y William Clark como líderes del Cuerpo del Descubrimiento (1803-1806). En los meses previos a la expedición, Jefferson instruyó a Lewis en las ciencias de la cartografía, la botánica, la historia natural, la mineralogía y la astronomía y la navegación, dándole acceso ilimitado a su biblioteca en Monticello, que incluía la mayor colección de libros del mundo sobre el tema de la geografía y la historia natural del continente norteamericano, junto con una impresionante colección de mapas.

La expedición duró desde mayo de 1804 hasta septiembre de 1806 (ver Cronología) y obtuvo una gran cantidad de conocimientos científicos y geográficos, incluido el conocimiento de muchas tribus indias.

Otras expediciones

Además del Cuerpo de Descubridores, Jefferson organizó otras tres expediciones al oeste: la de William Dunbar y George Hunter por el río Ouachita (1804-1805), la de Thomas Freeman y Peter Custis (1806) por el río Rojo, y la de Zebulon Pike (1806-1807) por las Montañas Rocosas y el suroeste. Las tres aportaron valiosa información sobre la frontera americana.

Asuntos indios

Las experiencias de Jefferson con los indios americanos comenzaron durante su infancia en Virginia y se extendieron a lo largo de su carrera política y hasta su jubilación. Refutó la idea contemporánea de que los indios eran personas inferiores y sostuvo que eran iguales en cuerpo y mente a las personas de ascendencia europea.

Como gobernador de Virginia durante la Guerra de la Independencia, Jefferson recomendó el traslado de las tribus cherokee y shawnee, que se habían aliado con los británicos, al oeste del río Misisipi. Pero cuando asumió el cargo de presidente, no tardó en tomar medidas para evitar otro gran conflicto, ya que las sociedades estadounidense e india estaban en colisión y los británicos estaban incitando a las tribus indias de Canadá. En Georgia, estipuló que el estado renunciaría a sus reclamaciones legales de tierras al oeste a cambio de apoyo militar para expulsar a los cherokees de Georgia. Esto facilitó su política de expansión hacia el oeste, para "avanzar de forma compacta mientras nos multiplicamos".

En consonancia con su pensamiento ilustrado, el presidente Jefferson adoptó una política de asimilación hacia los indios americanos conocida como su "programa de civilización", que incluía asegurar alianzas pacíficas

entre Estados Unidos **y** los indios mediante tratados y fomentar la agricultura. Jefferson abogaba por que las tribus indias hicieran compras federales a crédito, manteniendo sus tierras como garantía de pago. Varias tribus aceptaron las políticas de Jefferson, entre ellas los shawnees liderados por Black Hoof, los creek y los cherokees. Sin embargo, algunos shawnees se separaron de Black Hoof, liderados por Tecumseh, y se opusieron a las políticas de asimilación de Jefferson.

El historiador Bernard Sheehan sostiene que Jefferson creía que la asimilación era lo mejor para los indios americanos; la segunda opción era el traslado al oeste. Consideraba que el peor resultado del conflicto cultural y de recursos entre los ciudadanos estadounidenses y los indios americanos sería que éstos atacaran a los blancos. Jefferson dijo al Secretario de Guerra, el general Henry Dearborn (los asuntos indios dependían entonces del Departamento de Guerra): "Si nos vemos obligados a levantar el hacha de guerra contra cualquier tribu, no la dejaremos hasta que esa tribu sea exterminada o expulsada más allá del Misisipi". Miller está de acuerdo en que Jefferson creía que los indios debían asimilarse a las costumbres y la agricultura estadounidenses.
Historiadores como Peter S. Onuf y Merrill D. Peterson sostienen que las políticas indias reales de Jefferson apenas promovieron la asimilación y fueron un pretexto para apoderarse de tierras.

Reelección en 1804 y segundo mandato

El éxito del primer mandato de Jefferson hizo que el partido republicano lo volviera a nominar para la presidencia, y que George Clinton sustituyera a Burr como su compañero de fórmula. El partido federalista presentó a Charles Cotesworth Pinckney de Carolina del Sur, el candidato a vicepresidente de John Adams en las elecciones de 1800. La candidatura Jefferson-Clinton ganó de forma abrumadora en la votación del colegio electoral, por 162 a 14, promoviendo sus logros de una economía fuerte, impuestos más bajos y la compra de Luisiana.

En marzo de 1806 se produjo una escisión en el partido republicano, liderada por su compatriota y antiguo aliado republicano John Randolph, quien acusó con saña al presidente Jefferson en el pleno de la Cámara de Representantes de haber ido demasiado lejos en la dirección federalista. Al hacerlo, Randolph se apartó definitivamente de Jefferson desde el punto de vista político. Jefferson y Madison habían apoyado resoluciones para limitar o prohibir las importaciones británicas en represalia por los embargos británicos de buques estadounidenses. Además, en 1808, Jefferson fue el primer presidente que propuso un amplio plan federal para construir carreteras y canales en varios estados, solicitando 20 millones de dólares, lo que alarmó aún más a Randolph y a los creyentes del gobierno limitado.

La popularidad de Jefferson se resintió aún más en su segundo mandato debido a su respuesta a las guerras en Europa. Las relaciones positivas con Gran Bretaña habían disminuido, debido en parte a la antipatía entre Jefferson y el diplomático británico Anthony Merry. Tras la decisiva victoria de Napoleón en la Batalla de Austerlitz en 1805, Napoleón se volvió más agresivo en sus negociaciones sobre los derechos comerciales, que los esfuerzos estadounidenses no pudieron contrarrestar. Jefferson lideró entonces la promulgación de la Ley de Embargo de 1807, dirigida tanto a Francia como a Gran Bretaña. Esto provocó el caos económico en Estados Unidos y fue muy criticado en su momento, por lo que Jefferson tuvo que abandonar la política un año después.

Durante la época revolucionaria, los estados abolieron el comercio internacional de esclavos, pero Carolina del Sur lo reabrió. En su mensaje anual de diciembre de 1806, Jefferson denunció las "violaciones de los derechos humanos" que conllevaba el comercio internacional de esclavos, y pidió al recién elegido Congreso que lo penalizara inmediatamente. En 1807, el Congreso aprobó la Ley de Prohibición de la Importación de Esclavos, que Jefferson firmó. La ley establecía un severo castigo contra el comercio internacional de esclavos, aunque no abordaba la cuestión a nivel nacional.

En Haití, la neutralidad de Jefferson había permitido que las armas habilitaran el movimiento de independencia de los esclavos durante su Revolución, y bloqueó los intentos de ayudar a Napoleón, que fue derrotado allí en 1803. Pero rechazó el reconocimiento oficial del país durante su segundo mandato, en deferencia a las quejas del sur sobre la violencia racial contra los esclavistas; finalmente se extendió a Haití en 1862.

En el ámbito nacional, el nieto de Jefferson, James Madison Randolph, fue el primer niño nacido en la Casa Blanca en 1806.

Controversias

Conspiración y juicio de Burr

Tras el estancamiento electoral de 1801, la relación de Jefferson con su vicepresidente, el ex senador de Nueva York Aaron Burr, se erosionó rápidamente. Jefferson sospechaba que Burr buscaba la presidencia para sí mismo, mientras que Burr estaba enfadado por la negativa de Jefferson a nombrar a algunos de sus partidarios para cargos federales. Burr fue retirado de la candidatura republicana en 1804.

Ese mismo año, Burr fue derrotado de forma contundente en su intento de ser elegido gobernador de Nueva York. Durante la campaña, Alexander Hamilton hizo comentarios despectivos sobre el carácter moral de Burr. Posteriormente, Burr desafió a Hamilton a un duelo, hiriéndolo mortalmente el 11 de julio de 1804. Burr fue acusado del asesinato de Hamilton en Nueva York y Nueva Jersey, lo que le hizo huir a Georgia, aunque siguió siendo presidente del Senado durante el juicio de destitución del juez del Tribunal Supremo Samuel Chase. Ambas acusaciones murieron en silencio y Burr no fue procesado. También durante la elección, ciertos separatistas de Nueva Inglaterra se acercaron a Burr, deseando una federación de Nueva Inglaterra e insinuando que él sería su líder. Sin embargo, el complot no llegó a buen puerto, ya que Burr había perdido las elecciones y su reputación estaba arruinada tras el asesinato de Hamilton. En agosto de 1804, Burr se puso en contacto con el ministro británico Anthony Merry ofreciéndole ceder el territorio occidental de Estados Unidos a cambio de dinero y barcos británicos.

Tras dejar su cargo en abril de 1805, Burr viajó al oeste y conspiró con el gobernador del Territorio de Luisiana, James Wilkinson, iniciando un reclutamiento a gran escala para una expedición militar. Otros conspiradores fueron el senador de Ohio John Smith y un irlandés llamado Harmon Blennerhassett. Burr habló de varios complots: tomar el control de México o de la Florida española, o formar un estado secesionista en Nueva Orleans o en el oeste de Estados Unidos.

En el otoño de 1806, Burr lanzó una flotilla militar que llevaba unos 60 hombres por el río Ohio. Wilkinson renunció al complot, aparentemente por motivos de interés propio; informó de la expedición de Burr a Jefferson, quien inmediatamente ordenó el arresto de Burr. El 13 de febrero de 1807, Burr fue capturado en el desierto de Bayou Pierre, en Luisiana, y enviado a Virginia para ser juzgado por traición.

El juicio por conspiración de Burr en 1807 se convirtió en un problema nacional. Jefferson intentó influir preventivamente en el veredicto diciendo al Congreso que la culpabilidad de Burr era "incuestionable", pero el caso llegó ante su viejo enemigo político John Marshall, que desestimó la acusación de traición. El equipo legal de Burr citó en un momento dado a Jefferson, pero éste se negó a testificar, dando el primer argumento de privilegio ejecutivo. En su lugar, Jefferson proporcionó documentos legales relevantes. Tras un juicio de tres meses, el jurado declaró a Burr inocente, mientras que Jefferson denunció su absolución. Posteriormente, Jefferson destituyó a Wilkinson como gobernador territorial, pero lo mantuvo en el ejército estadounidense. El historiador James N. Banner criticó a Jefferson por seguir confiando en Wilkinson, un "conspirador sin fe".

Mala conducta del General Wilkinson

El comandante general James Wilkinson era un remanente de las administraciones de Washington y Adams. Se rumoreaba que Wilkinson era un "conspirador hábil y sin escrúpulos". En 1804, Wilkinson recibió 12.000 pesos de los españoles a cambio de información sobre los planes de fronteras estadounidenses. Wilkinson también recibió anticipos de su salario y pagos por reclamaciones presentadas al Secretario de Guerra Henry Dearborn. Esta información perjudicial aparentemente era desconocida por Jefferson. En 1805, Jefferson confió en Wilkinson y lo nombró gobernador del Territorio de Luisiana, admirando la ética de trabajo de Wilkinson. En enero de 1806, Jefferson recibió información del fiscal federal de Kentucky, Joseph Davies, de que Wilkinson estaba en la nómina española. Jefferson no tomó ninguna medida contra Wilkinson, ya que en ese momento no había pruebas contra él. Una investigación de la Cámara en diciembre de 1807 exoneró a Wilkinson. En 1808, un tribunal militar investigó a Wilkinson, pero carecía de pruebas para acusarlo. Jefferson mantuvo a Wilkinson en el Ejército y éste pasó a manos del sucesor de Jefferson, James Madison. Pruebas encontradas en los archivos españoles en el siglo XX demostraron que Wilkinson estaba, de hecho, en la nómina española.

Asuntos exteriores (1805-1809)

Intento de anexión de Florida

Tras la compra de Luisiana, Jefferson intentó anexionar el oeste de Florida a España, una nación bajo el control del emperador Napoleón y el Imperio francés después de 1804. En su mensaje anual al Congreso, el 3 de diciembre de 1805, Jefferson arremetió contra España por las depredaciones en la frontera de Florida. Unos días más tarde, Jefferson solicitó en secreto un gasto de dos millones de dólares para comprar Florida. Sin embargo, el representante y líder del hemiciclo John Randolph se oponía a la anexión y estaba molesto por el secretismo de Jefferson al respecto, y creía que el dinero iría a parar a las arcas de Napoleón. El proyecto de ley de los dos millones de dólares se aprobó sólo después de que Jefferson lograra sustituir a Randolph por Barnabas Bidwell como líder del hemiciclo. Esto despertó las sospechas de Jefferson y las acusaciones de influencia ejecutiva indebida sobre el Congreso. Jefferson firmó la ley en febrero de 1806. Seis semanas después, la ley se hizo pública. Los dos millones de dólares debían entregarse a Francia como pago, a su vez, para presionar a España para que permitiera la anexión de Florida por parte de Estados Unidos. Sin embargo, Francia no estaba dispuesta a permitir que España renunciara a Florida y rechazó la oferta. Florida permaneció bajo el control de España. El fracaso de la empresa dañó la reputación de Jefferson entre sus partidarios.

Asunto *Chesapeake-Leopard* y Ley de Embargo

Los británicos llevaron a cabo incautaciones de barcos estadounidenses para buscar desertores británicos entre 1806 y 1807; los ciudadanos estadounidenses fueron así impresionados en el servicio naval británico. En 1806, Jefferson hizo un llamamiento al boicot de los productos británicos; el 18 de abril, el Congreso aprobó las Leyes de No Importación, pero nunca se aplicaron. Ese mismo año, Jefferson pidió a James Monroe y a William Pinkney que negociaran con Gran Bretaña para poner fin al acoso a la navegación estadounidense, aunque Gran Bretaña no dio muestras de mejorar sus relaciones. El Tratado Monroe-Pinkney se finalizó, pero carecía de disposiciones para poner fin a las políticas británicas, y Jefferson se negó a presentarlo al Senado para su ratificación.

El barco británico HMS *Leopard disparó* contra el USS *Chesapeake* frente a la costa de Virginia en junio de 1807, y Jefferson se preparó para la guerra. Emitió una proclamación que prohibía la entrada de barcos británicos armados en aguas estadounidenses. Presumió de autoridad unilateral para convocar a los estados a preparar 100.000 milicianos y ordenó la compra de armas, municiones y suministros, escribiendo: "Las leyes de la necesidad, de la autopreservación, de la salvación de nuestro país cuando está en peligro, son de mayor obligación [que la estricta observancia de las leyes escritas]". El USS *Revenge* fue enviado para exigir una explicación al gobierno británico; también fue disparado. Jefferson convocó una sesión especial del Congreso en octubre para promulgar un embargo o, alternativamente, considerar la guerra.

En diciembre, llegó la noticia de que Napoleón había ampliado el Decreto de Berlín, prohibiendo globalmente las importaciones británicas. En Gran Bretaña, el rey Jorge III ordenó redoblar los esfuerzos de imposición, incluyendo a los marineros estadounidenses. Pero la fiebre bélica del verano se desvaneció; el Congreso no tenía ganas de preparar a Estados Unidos para la guerra. Jefferson pidió y recibió la Ley de Embargo, una alternativa que permitía a Estados Unidos disponer de más tiempo para construir obras defensivas, milicias y fuerzas navales. Los historiadores posteriores han visto una ironía en la afirmación de Jefferson de ese poder federal. Meacham afirma que la Ley de Embargo fue una proyección de poder que superó a las Leyes de Extranjería y Sedición, y R. B. Bernstein escribe que Jefferson "estaba aplicando políticas parecidas a las que había citado en 1776 como motivos para la independencia y la revolución".

El secretario de Estado, James Madison, apoyó el embargo con el mismo vigor que Jefferson, mientras que el secretario del Tesoro, Gallatin, se opuso, debido a su duración indefinida y al riesgo que suponía para la política de neutralidad estadounidense. La economía estadounidense se resintió, las críticas aumentaron y los opositores comenzaron a eludir el embargo. En lugar de retirarse, Jefferson envió agentes federales para que persiguieran en secreto a los contrabandistas y a los infractores. Durante 1807 y 1808 se aprobaron tres leyes en el Congreso, denominadas Ley *Suplementaria*, Ley *Adicional* y Ley de *Ejecución*. El gobierno no pudo impedir que los barcos estadounidenses comerciaran con los beligerantes europeos una vez que salieron de los puertos estadounidenses, aunque el embargo provocó un descenso devastador de las exportaciones.

La mayoría de los historiadores consideran que el embargo de Jefferson fue ineficaz y perjudicial para los intereses estadounidenses. Appleby describe la estrategia como la "política menos eficaz" de Jefferson, y Joseph Ellis la califica de "calamidad sin paliativos". Otros, sin embargo, la describen como una medida innovadora y no violenta que ayudó a Francia en su guerra con Gran Bretaña, al tiempo que preservaba la neutralidad estadounidense. Jefferson creía que el fracaso del embargo se debía a que los comerciantes y mercaderes egoístas mostraban una falta de "virtud republicana". Sostenía que, si el embargo se hubiera respetado ampliamente, habría evitado la guerra de 1812.

En diciembre de 1807, Jefferson anunció su intención de no presentarse a un tercer mandato. Durante el último año de su presidencia se dedicó cada vez más a Monticello, cediendo a Madison y Gallatin el control casi total de los asuntos. Poco antes de dejar el cargo, en marzo de 1809, Jefferson firmó la derogación del Embargo. En su lugar, se aprobó la Ley de No Intervención, pero no resultó más eficaz. El día antes de la toma de posesión de Madison como su sucesor, Jefferson dijo que se sentía como "un prisionero, liberado de sus cadenas".

Post-presidencia

Tras su retiro de la presidencia, Jefferson continuó con sus intereses educativos; vendió su vasta colección de libros a la Biblioteca del Congreso y fundó y construyó la Universidad de Virginia. Jefferson continuó manteniendo correspondencia con muchos de los líderes del país (incluidos sus dos protegidos que le sucedieron en la presidencia), y la Doctrina Monroe tiene un gran parecido con los consejos solicitados que Jefferson dio a Monroe en 1823. Cuando se instaló en su vida privada en Monticello, Jefferson desarrolló una rutina diaria de levantarse temprano. Pasaba varias horas escribiendo cartas, con las que a menudo se veía desbordado. Al mediodía, solía inspeccionar la plantación a caballo. Por las tardes, su familia disfrutaba del ocio en los jardines; a última hora de la noche, Jefferson se retiraba a la cama con un libro. Sin embargo, su rutina se veía a menudo interrumpida por visitantes no invitados y turistas deseosos de ver al icono en sus últimos días, convirtiendo Monticello en "un hotel virtual".

Universidad de Virginia

Jefferson imaginó una universidad libre de influencias eclesiásticas en la que los estudiantes pudieran especializarse en muchas áreas nuevas que no se ofrecían en otras universidades. Creía que la educación engendraba una sociedad estable, que debía ofrecer escuelas financiadas con fondos públicos y accesibles a estudiantes de todos los estratos sociales, basándose únicamente en la capacidad. Propuso inicialmente su Universidad en una carta a Joseph Priestley en 1800 y, en 1819, Jefferson, de 76 años, fundó la Universidad de Virginia. Organizó la campaña legislativa estatal para su fundación y, con la ayuda de Edmund Bacon, compró el emplazamiento. Fue el principal diseñador de los edificios, planificó el plan de estudios de la universidad y fue el primer rector cuando se inauguró en 1825.

Jefferson era un gran discípulo de los estilos arquitectónicos griego y romano, que consideraba más representativos de la democracia estadounidense. Cada unidad académica, llamada pabellón, fue diseñada con una fachada de templo de dos pisos, mientras que la "Rotonda" de la biblioteca fue modelada según el Panteón romano. Jefferson se refirió a los terrenos de la universidad como la "Aldea Académica", y reflejó sus ideas educativas en su distribución. Los diez pabellones incluían las aulas y las residencias del profesorado; formaban un cuadrilátero y estaban conectados por columnatas, detrás de las cuales se situaban las filas de habitaciones de los estudiantes. Detrás de los pabellones había jardines y huertos, rodeados de muros en forma de serpentina, que afirmaban la importancia del estilo de vida agrario. La universidad tenía una biblioteca en lugar de una iglesia en su centro, lo que enfatizaba su naturaleza secular, un aspecto controvertido en la época.

Cuando Jefferson murió en 1826, James Madison le sustituyó como rector. Jefferson legó a la universidad la mayor parte de su biblioteca. Sólo otro expresidente ha fundado una universidad, concretamente Millard Fillmore, que fundó la Universidad de Buffalo.

Reconciliación con Adams

Jefferson y John Adams habían sido buenos amigos en las primeras décadas de sus carreras políticas, sirviendo juntos en el Congreso Continental en la década de 1770 y en Europa en la de 1780. Sin embargo, la división federalista/republicana de la década de 1790 los dividió, y Adams se sintió traicionado por el patrocinio de Jefferson de los ataques partidistas, como los de James Callender. Jefferson, por su parte, estaba enfadado con Adams por su nombramiento de "jueces de medianoche". Los dos hombres no se comunicaron directamente durante más de una década después de que Jefferson sucediera a Adams como presidente. Hubo una breve correspondencia entre Abigail Adams y Jefferson tras la muerte de la hija de éste, Polly, en 1804, en un intento de reconciliación que Adams desconocía. Sin embargo, un intercambio de cartas reanudó las hostilidades abiertas entre Adams y Jefferson.

Ya en 1809, Benjamin Rush, firmante de la Declaración de Independencia, deseaba que Jefferson y Adams se reconciliaran y empezó a insistir por correspondencia para que ambos restablecieran el contacto. En 1812, Adams escribió una breve felicitación de Año Nuevo a Jefferson, impulsada anteriormente por Rush, a la que éste respondió calurosamente. Así comenzó lo que el historiador David McCullough llama "una de las correspondencias más extraordinarias de la historia de Estados Unidos". Durante los siguientes catorce años, los ex presidentes intercambiaron 158 cartas en las que discutían sus diferencias políticas, justificaban sus respectivos papeles en los acontecimientos y debatían la importancia de la revolución para el mundo. Cuando Adams murió, sus últimas palabras incluyeron un reconocimiento a su viejo amigo y rival: "Thomas Jefferson sobrevive", sin saber que Jefferson había muerto varias horas antes.

Autobiografía

En 1821, a la edad de 77 años, Jefferson comenzó a escribir su autobiografía, con el fin de "exponer algunos recuerdos de fechas y hechos relativos a mi persona". Se centró en las luchas y logros que experimentó hasta el 29 de julio de 1790, donde la narración se detuvo. Excluyó su juventud, haciendo hincapié en la época revolucionaria. Relató que sus antepasados llegaron de Gales a América a principios del siglo XVII y se establecieron en la frontera occidental de la colonia de Virginia, lo que influyó en su celo por los derechos individuales y estatales. Jefferson describió a su padre como una persona sin educación, pero con una "mente fuerte y un juicio sólido". Su inscripción en el College of William and Mary y su elección como miembro del Congreso Continental de Filadelfia en 1775 fueron incluidas.

También expresó su oposición a la idea de una aristocracia privilegiada formada por grandes familias terratenientes parciales al Rey, y en su lugar promovió "la aristocracia de la virtud y el talento, que la naturaleza ha proporcionado sabiamente para la dirección de los intereses de la sociedad, & esparcida con igual mano a través de todas sus condiciones, se consideró esencial para una república bien ordenada".

Jefferson aportó su visión de las personas, la política y los acontecimientos. La obra se ocupa principalmente de la Declaración y de la reforma del gobierno de Virginia. Utilizó notas, cartas y documentos para contar muchas de las historias de la autobiografía. Sugirió que esta historia era tan rica que era mejor pasar por alto sus asuntos personales, pero incorporó un autoanálisis utilizando la Declaración y otros patriotismos.

Guerra de la Independencia de Grecia

Thomas Jefferson era un filoheleno que simpatizaba con la Guerra de Independencia griega. Se le ha descrito como el más influyente de los Padres Fundadores que apoyó la causa griega, considerándola similar a la Revolución Americana. En 1823, Jefferson intercambiaba ideas con el erudito griego Adamantios Korais. Jefferson aconsejó a Korais sobre la construcción del sistema político de Grecia utilizando el liberalismo clásico y ejemplos del sistema de gobierno estadounidense, prescribiendo en última instancia un gobierno similar al de un Estado de Estados Unidos. También sugirió la aplicación de un sistema de educación clásica para la recién fundada Primera República Helénica, en la que se ofrecería educación pública y se enseñaría a los alumnos historia, latín y griego. Las instrucciones filosóficas de Jefferson fueron bien recibidas por el pueblo griego. Korais se convirtió en uno de los diseñadores de la constitución griega e instó a sus asociados a estudiar las obras de Jefferson y otra literatura de la Revolución Americana.

La visita de Lafayette

En el verano de 1824, el marqués de Lafayette aceptó una invitación del presidente James Monroe para visitar el país. Jefferson y Lafayette no se habían visto desde 1789. Tras visitar Nueva York, Nueva Inglaterra y Washington, Lafayette llegó a Monticello el 4 de noviembre.

El nieto de Jefferson, Randolph, estaba presente y grabó el reencuentro: "Al acercarse, su paso inseguro se aceleró hasta convertirse en una carrera arrastrada, y exclamando: '¡Ah Jefferson!' '¡Ah Lafayette!', rompieron a llorar mientras caían en los brazos del otro". Jefferson y Lafayette se retiraron entonces a la casa para recordar. A la mañana siguiente, Jefferson, Lafayette y James Madison asistieron a una visita y a un banquete en la Universidad de Virginia. Jefferson hizo que otra persona leyera un discurso que había preparado para Lafayette, ya que su voz era débil y no podía transmitirse. Esta fue su última presentación pública. Tras una visita de 11 días, Lafayette se despidió de Jefferson y partió de Monticello.

Los últimos días y la muerte

Los aproximadamente 100.000 dólares de deuda de Jefferson pesaron mucho en su mente en sus últimos meses, ya que cada vez estaba más claro que tendría poco que dejar a sus herederos. En febrero de 1826, solicitó con éxito a la Asamblea General la celebración de una lotería pública para recaudar fondos. Su salud comenzó a deteriorarse en julio de 1825, debido a una combinación de reumatismo por lesiones en el brazo y la muñeca, así como a trastornos intestinales y urinarios y, en junio de 1826, estaba confinado a la cama. El 3 de julio, Jefferson fue vencido por la fiebre y rechazó una invitación a Washington para asistir a la celebración del aniversario de la Declaración.

Durante las últimas horas de su vida, estuvo acompañado por familiares y amigos. Jefferson murió el 4 de julio a las 12:50 p.m., a la edad de 83 años, el mismo día del 50° aniversario de la Declaración de Independencia. Sus últimas palabras registradas fueron "No, doctor, nada más", rechazando el láudano de su médico, pero sus últimas palabras significativas se citan a menudo como "¿Es el Cuarto?" o "Este es el Cuarto". Cuando John Adams murió ese mismo día, sus últimas palabras incluyeron un reconocimiento a su viejo amigo y rival: "Thomas Jefferson sobrevive", aunque Adams no sabía que Jefferson había muerto varias horas antes. El presidente en ejercicio era el hijo de Adams, John Quincy Adams, y calificó la coincidencia de sus muertes en el aniversario de la nación como "observaciones visibles y palpables del favor divino".

Poco después de la muerte de Jefferson, los asistentes encontraron un relicario de oro en una cadena alrededor de su cuello, donde había descansado durante más de 40 años, que contenía una pequeña cinta azul descolorida que ataba un mechón de pelo castaño de su esposa Martha.

Los restos de Jefferson fueron enterrados en Monticello, bajo un epitafio que él mismo escribió:

AQUÍ FUE ENTERRADO THOMAS JEFFERSON, AUTOR DE LA DECLARACIÓN DE INDEPENDENCIA AMERICANA, DEL ESTATUTO DE VIRGINIA PARA LA LIBERTAD RELIGIOSA Y PADRE DE LA UNIVERSIDAD DE VIRGINIA.

En su avanzada edad, Jefferson se preocupaba cada vez más de que la gente entendiera los principios y los responsables de la redacción de la Declaración de Independencia, y se defendía continuamente como su autor. Consideraba el documento como uno de los mayores logros de su vida, además de ser el autor del Estatuto de Virginia para la Libertad Religiosa y de la fundación de la Universidad de Virginia. En su epitafio no aparecen sus funciones políticas, como la de Presidente de los Estados Unidos.

Jefferson murió profundamente endeudado, sin poder transmitir su patrimonio libremente a sus herederos. Dio instrucciones en su testamento para disponer de sus bienes, incluyendo la liberación de los hijos de Sally Hemings; pero su patrimonio, posesiones y esclavos fueron vendidos en subastas públicas a partir de 1827. En 1831, Monticello fue vendido por Martha Jefferson Randolph y los demás herederos.

Vistas

Jefferson suscribió los ideales políticos expuestos por John Locke, Francis Bacon e Isaac Newton, a quienes consideraba los tres hombres más grandes que habían existido. También estaba influenciado por los escritos de Gibbon, Hume, Robertson, Bolingbroke, Montesquieu y Voltaire. Jefferson pensaba que el campesino independiente y la vida agraria eran ideales de virtudes republicanas. Desconfiaba de las ciudades y de los financieros, estaba a favor de un poder gubernamental descentralizado y creía que la tiranía que había asolado al hombre común en Europa se debía a los establecimientos políticos corruptos y a las monarquías. Apoyó los esfuerzos por desestabilizar la Iglesia de Inglaterra, redactó el Estatuto de Virginia para la Libertad Religiosa e impulsó un muro de separación entre la Iglesia y el Estado. Los republicanos bajo el mando de Jefferson estaban fuertemente influenciados por el Partido Whig británico del siglo XVIII, que creía en un gobierno limitado. Su Partido Demócrata-Republicano se convirtió en el dominante en los primeros años de la política estadounidense, y sus opiniones se conocieron como la democracia jeffersoniana.

Sociedad y gobierno

Según la filosofía de Jefferson, los ciudadanos tienen "ciertos derechos inalienables" y "la libertad legítima es la acción sin obstáculos según nuestra voluntad, dentro de los límites trazados a nuestro alrededor por la igualdad de derechos de los demás". Defensor acérrimo del sistema de jurados para proteger las libertades de las personas, proclamó en 1801: "Considero que [el juicio con jurado] es el único anclaje imaginado hasta ahora por el hombre, mediante el cual un gobierno puede atenerse a los principios de su constitución" El gobierno jeffersoniano no sólo prohibía a los individuos de la sociedad infringir la libertad de los demás, sino que también se abstenía de disminuir la libertad individual como protección contra la tiranía de la mayoría. Inicialmente, Jefferson estaba a favor de restringir el voto a aquellos que pudieran realmente tener el libre ejercicio de su razón escapando de cualquier dependencia corruptora de otros. Abogó por la concesión del derecho de voto a la mayoría de los virginianos, tratando de ampliar el sufragio para incluir a los "campesinos" que poseían sus propias tierras, pero excluyendo a los arrendatarios, los jornaleros de la ciudad, los vagabundos, la mayoría de los amerindios y las mujeres.

Estaba convencido de que las libertades individuales eran fruto de la igualdad política, que se veían amenazadas por la arbitrariedad del gobierno. En su opinión, los excesos de la democracia se deben a la corrupción institucional y no a la naturaleza humana. Desconfiaba menos de la democracia en funcionamiento que muchos contemporáneos. Como presidente, Jefferson temía que el sistema federalista promulgado por Washington y Adams hubiera fomentado el clientelismo corruptor y la dependencia. Intentó restablecer un equilibrio entre el gobierno estatal y el federal que reflejara más fielmente los Artículos de la Confederación, tratando de reforzar las prerrogativas estatales allí donde su partido era mayoritario.

Jefferson estaba impregnado de la tradición whig británica de la mayoría oprimida frente a un partido de la corte repetidamente insensible en el Parlamento. Justificaba los pequeños estallidos de rebelión como necesarios para conseguir que los regímenes monárquicos modificaran las medidas opresivas que comprometían las libertades populares. En un régimen republicano gobernado por la mayoría, reconocía que "a menudo se ejercerá cuando esté mal". Pero "el remedio es enderezarlos en cuanto a los hechos, perdonarlos y pacificarlos". Cuando Jefferson vio triunfar a su partido en dos mandatos de su presidencia y se lanzó a un tercer mandato bajo James Madison, su visión de Estados Unidos como una república continental y un "imperio de la libertad" se hizo más optimista. Al dejar la presidencia en 1809, describió a Estados Unidos como "depositario de los destinos de esta república solitaria del mundo, único monumento de los derechos humanos y único depositario del fuego sagrado de la libertad y el autogobierno".

Democracia

Jefferson consideraba que la democracia era la expresión de la sociedad y promovía la autodeterminación nacional, la uniformidad cultural y la educación de todos los varones de la mancomunidad. Apoyaba la educación pública y la libertad de prensa como componentes esenciales de una nación democrática.

Tras dimitir como secretario de Estado en 1795, Jefferson se centró en las bases electorales de los republicanos y los federalistas. La clasificación de "republicano" por la que abogaba incluía a "todo el cuerpo de terratenientes" en todas partes y al "cuerpo de trabajadores" sin tierra. Los republicanos se unieron detrás de Jefferson como vicepresidente, y la elección de 1796 expandió la democracia a nivel nacional en las bases. Jefferson promovió a los candidatos republicanos para los cargos locales.

A partir de la campaña electoral de Jefferson para la "revolución de 1800", sus esfuerzos políticos se basaron en llamamientos igualitarios. En sus últimos años, se refirió a las elecciones de 1800 como "una revolución tan real en los principios de nuestro gobierno como lo fue la del 76 en su forma", una "no efectuada ciertamente por la espada... sino por el... sufragio del pueblo". La participación de los votantes creció durante la presidencia de Jefferson, aumentando a "niveles inimaginables" en comparación con la era federalista, con una participación de alrededor de 67.000 personas en 1800 que aumentó a alrededor de 143.000 en 1804.

Al inicio de la Revolución, Jefferson aceptó el argumento de William Blackstone de que la propiedad de los bienes dotaría a los votantes de suficiente independencia de criterio, pero trató de ampliar aún más el sufragio mediante la distribución de tierras a los pobres. En plena época revolucionaria y posteriormente, varios estados ampliaron la elegibilidad de los votantes de la nobleza terrateniente a todos los ciudadanos varones propietarios que pagaban impuestos, con el apoyo de Jefferson. En su retiro, se volvió gradualmente crítico con su estado natal por violar "el principio de igualdad de derechos políticos", el derecho social del sufragio universal masculino. Buscó un "sufragio general" de todos los contribuyentes y milicianos, y una representación equitativa por población en la Asamblea General para corregir el trato preferente a las regiones esclavistas.

Religión

Bautizado en su juventud, Jefferson se convirtió en miembro gobernante de su iglesia episcopal local en Charlottesville, a la que posteriormente asistió con sus hijas. Sin embargo, Jefferson desdeñaba las pretensiones metafísicas del cristianismo. Influido por autores deístas durante sus años universitarios, Jefferson abandonó el cristianismo "ortodoxo" tras su revisión de las enseñanzas del Nuevo Testamento. A veces se ha descrito a Jefferson como un seguidor de la vertiente religiosa liberal del deísmo que valora la razón por encima de la revelación. Sin embargo, en 1803, Jefferson afirmó: "Soy cristiano, en el único sentido en que [Jesús] quería que lo fuera".

Más tarde, Jefferson definió ser cristiano como alguien que seguía las sencillas enseñanzas de Jesús. Influido por Joseph Priestly, Jefferson recopiló las enseñanzas bíblicas de Jesús, omitiendo las referencias milagrosas o sobrenaturales. Tituló la obra privada *La vida y la moral de Jesús de Nazaret*, conocida hoy como la *Biblia de Jefferson*, nunca publicada en vida. Jefferson creía que el mensaje de Jesús había sido oscurecido y corrompido por el apóstol Pablo, los escritores de los Evangelios y los reformadores protestantes. Peterson afirma que Jefferson era un teísta "cuyo Dios era el Creador del universo... todas las evidencias de la naturaleza atestiguaban su perfección; y el hombre podía confiar en la armonía y beneficencia de su obra". En una carta a John Adams, Jefferson escribió que lo que creía que era genuinamente de Cristo, encontrado en los Evangelios, era "tan fácilmente distinguible como los diamantes en un estercolero". Al extraer los milagros y la resurrección de Cristo, Jefferson debilitó el ministerio de Cristo, pero hizo la figura de Jesús más compatible con una visión del mundo basada en la razón.

Jefferson era firmemente anticlerical, escribiendo que en "todas las épocas, el sacerdote ha sido hostil a la libertad ... han pervertido la religión más pura jamás predicada al hombre en misterio y jerga". La carta completa a Horatio Spatford puede leerse en los Archivos Nacionales. Jefferson apoyó en su día la prohibición de que los clérigos ocuparan cargos públicos, pero más tarde cedió. En 1777, redactó el Estatuto de Virginia para la Libertad Religiosa. Ratificado en 1786, declaró ilegal la asistencia obligatoria o las contribuciones a cualquier establecimiento religioso sancionado por el Estado y declaró que los hombres "serán libres de profesar... sus opiniones en materia de religión". El Estatuto es uno de los tres logros que decidió inscribir en el epitafio de su lápida. A principios de 1802, Jefferson escribió a la Asociación Bautista de Danbury, Connecticut, "que la religión es un asunto que queda únicamente entre el Hombre y su Dios". Interpretó que la Primera Enmienda había construido "un muro de separación entre la Iglesia y el Estado". La frase "Separación de la Iglesia y el Estado" ha sido citada varias veces por el Tribunal Supremo en su interpretación de la Cláusula de Establecimiento.

Jefferson hizo una donación a la Sociedad Bíblica Americana, diciendo que los Cuatro Evangelistas entregaron un "sistema puro y sublime de moralidad" a la humanidad. Pensaba que los americanos crearían racionalmente una religión "apiariana", extrayendo las mejores tradiciones de cada denominación. Y contribuyó generosamente a varias denominaciones locales cerca de Monticello. Reconociendo que la religión organizada siempre estaría presente en la vida política, para bien o para mal, alentó a la razón por encima de la revelación sobrenatural para que investigara la religión. Creía en un dios creador, en una vida después de la muerte y en la suma de la religión como amor a Dios y al prójimo. Pero también rechazaba polémicamente las creencias cristianas fundamentales, negando la Trinidad cristiana convencional, la divinidad de Jesús como Hijo de Dios y los milagros, la resurrección de Cristo, la expiación del pecado y el pecado original. Jefferson creía que el pecado original era una gran injusticia y que Dios no condenó a toda la humanidad por la transgresión de Adán y Eva en el Jardín del Edén.

Las creencias religiosas poco ortodoxas de Jefferson se convirtieron en un tema importante en las elecciones presidenciales de 1800. Los federalistas lo atacaron como ateo. Como presidente, Jefferson respondió a las acusaciones alabando la religión en su discurso inaugural y asistiendo a los servicios religiosos en el Capitolio.

Bancos

Jefferson desconfiaba de los bancos públicos y se oponía al endeudamiento público, que, en su opinión, creaba deudas a largo plazo, generaba monopolios e invitaba a una peligrosa especulación en lugar de al trabajo productivo. En una carta a Madison, sostenía que cada generación debía reducir toda la deuda en un plazo de 19 años, y no imponer una deuda a largo plazo a las generaciones siguientes.

En 1791, el presidente Washington preguntó a Jefferson, entonces secretario de Estado, y a Hamilton, secretario del Tesoro, si el Congreso tenía autoridad para crear un banco nacional. Mientras que Hamilton creía que el Congreso tenía la autoridad, Jefferson y Madison pensaban que un banco nacional ignoraría las necesidades de los individuos y los agricultores, y que violaría la Décima Enmienda al asumir poderes no concedidos al gobierno federal por los estados. Hamilton argumentó con éxito que los poderes implícitos otorgados al gobierno federal en la Constitución respaldaban la creación de un banco nacional, entre otras acciones federales.

Jefferson utilizó la resistencia agraria a los bancos y a los especuladores como el primer principio definitorio de un partido de oposición, y ya en 1792 reclutó candidatos para el Congreso por esta cuestión. Como presidente, el secretario del Tesoro, Albert Gallatin, convenció a Jefferson de que dejara intacto el banco, pero trató de restringir su influencia.

Esclavitud

Jefferson vivía en una economía de plantación que dependía en gran medida de la esclavitud y, como rico terrateniente, utilizaba mano de obra esclava para su hogar, su plantación y sus talleres. La primera vez que registró su posesión de esclavos fue en 1774, cuando contó con 41 personas esclavizadas. A lo largo de su vida poseyó unos 600 esclavos; heredó unos 175, mientras que la mayoría del resto eran personas nacidas en sus plantaciones. Jefferson compró algunos esclavos para reunir a sus familias. Vendió aproximadamente 110 personas por razones económicas, principalmente esclavos de sus granjas periféricas. En 1784, cuando el número de esclavos que poseía era probablemente de unos 200, comenzó a desprenderse de muchos esclavos y en 1794 se había desprendido de 161 personas.

Jefferson dijo una vez: "Mi primer deseo es que los trabajadores sean bien tratados". Jefferson no hacía trabajar a sus esclavos los domingos y las Navidades y les concedía más tiempo personal durante los meses de invierno. Sin embargo, algunos estudiosos dudan de la benevolencia de Jefferson y señalan casos de excesivos azotes a los esclavos en su ausencia. En su fábrica de clavos sólo trabajaban niños esclavizados. Muchos de los niños esclavizados se convirtieron en comerciantes. Burwell Colbert, que comenzó su vida laboral de niño en la fábrica de clavos de Monticello, fue promovido más tarde al puesto de supervisor de mayordomo.

Jefferson consideraba que la esclavitud era perjudicial tanto para el esclavo como para el amo, pero tenía reservas sobre la liberación de los esclavos del cautiverio y abogaba por la emancipación gradual. En 1779, propuso a la asamblea legislativa de Virginia la formación y el reasentamiento voluntarios y, tres años más tarde, redactó una ley que permitía a los esclavistas liberar a sus propios esclavos. En su borrador de la Declaración de Independencia, incluyó una sección, suprimida por otros delegados del Sur, en la que criticaba al rey Jorge III por haber forzado supuestamente la esclavitud en las colonias. En 1784, Jefferson propuso la abolición de la esclavitud en todos los territorios del oeste de Estados Unidos, limitando la importación de esclavos a 15 años.

Sin embargo, el Congreso no aprobó su propuesta por un solo voto. En 1787, el Congreso aprobó la Ordenanza del Noroeste, una victoria parcial de Jefferson que puso fin a la esclavitud en el Territorio del Noroeste. Jefferson liberó a su esclavo Robert Hemings en 1794 y a su esclavo cocinero James Hemings en 1796. Jefferson liberó a su esclava fugitiva Harriet Hemings en 1822. A su muerte en 1826, Jefferson liberó a cinco esclavos Hemings en su testamento.

Durante su presidencia, Jefferson permitió la difusión de la esclavitud en el Territorio de Luisiana con la esperanza de prevenir las sublevaciones de esclavos en Virginia y evitar la secesión de Carolina del Sur. En 1804, en un compromiso sobre la cuestión de la esclavitud, Jefferson y el Congreso prohibieron el tráfico de esclavos domésticos durante un año en el Territorio de Luisiana. En 1806 pidió oficialmente una legislación antiesclavista que pusiera fin a la importación o exportación de esclavos. El Congreso aprobó la ley en 1807.

En 1819, Jefferson se opuso firmemente a una enmienda de solicitud de la condición de estado de Missouri que prohibía la importación de esclavos domésticos y liberaba a los esclavos a la edad de 25 años, alegando que destruiría la unión. En *Notas sobre el Estado de Virginia*, creó controversia al calificar la esclavitud como un mal moral por el que la nación tendría que rendir cuentas a Dios en última instancia. Jefferson escribió sobre su "sospecha" de que los negros eran mental y físicamente inferiores a los blancos, pero argumentó que, no obstante, tenían derechos humanos innatos. Por ello, apoyó los planes de colonización que transportarían a los esclavos liberados a otro país, como Liberia o Sierra Leona, aunque reconoció la impracticabilidad de tales propuestas.

Durante su presidencia, Jefferson guardó la mayor parte del tiempo un silencio público sobre la cuestión de la esclavitud y la emancipación, ya que el debate en el Congreso sobre la esclavitud y su extensión provocó una peligrosa división norte-sur entre los estados, hablándose de una confederación del norte en Nueva Inglaterra. Los violentos ataques a los propietarios de esclavos blancos durante la Revolución de Haití, debido a las injusticias de la esclavitud, reforzaron los temores de Jefferson a una guerra racial, aumentando sus reservas a la hora de promover la emancipación en ese momento. Después de numerosos intentos y fracasos para lograr la emancipación, Jefferson escribió en privado en una carta de 1805 a William A. Burwell: "Hace tiempo que he renunciado a la expectativa de cualquier disposición temprana para la extinción de la esclavitud entre nosotros." Ese mismo año también relató esta idea a George Logan, escribiendo: "He evitado con sumo cuidado todo acto o manifestación pública sobre ese tema."

Evaluación histórica

Los estudiosos siguen divididos sobre si Jefferson condenó realmente la esclavitud y cómo cambió. Francis D. Cogliano traza el desarrollo de las interpretaciones emancipadoras, luego revisionistas y finalmente contextualistas que compiten entre sí desde la década de 1960 hasta el presente. La visión emancipadora, sostenida por los diversos estudiosos de la Fundación Thomas Jefferson, Douglas L. Wilson y otros, sostiene que Jefferson se opuso a la esclavitud durante toda su vida, señalando que hizo lo que pudo dentro del limitado abanico de opciones de que disponía para socavarla, sus numerosos intentos de legislación abolicionista, la forma en que se ocupó de los esclavos y su defensa de un trato más humano. El punto de vista revisionista, propuesto por Paul Finkelman y otros, le critica por tener esclavos y por actuar en contra de sus palabras. Jefferson nunca liberó a la mayoría de sus esclavos, y guardó silencio sobre el tema mientras fue presidente. Contextualistas como

Joseph J. Ellis hacen hincapié en un cambio en el pensamiento de Jefferson respecto a sus opiniones emancipadoras antes de 1783, señalando el cambio de Jefferson hacia la pasividad pública y la dilación en cuestiones políticas relacionadas con la esclavitud. Jefferson pareció ceder ante la opinión pública en 1794, cuando sentó las bases para su primera campaña presidencial contra Adams en 1796.

El historiador Henry Wiencek dijo que Jefferson "racionalizó una abominación hasta llegar a una inversión moral absoluta e hizo que la esclavitud encajara en la empresa nacional de Estados Unidos".

Por el contrario, el historiador y biógrafo John Ferling afirmó que Jefferson estaba "celosamente comprometido con la abolición de la esclavitud".

Polémica Jefferson-Hemings

Las afirmaciones de que Jefferson fue el padre de los hijos de Sally Hemings se han debatido desde 1802. Ese año, James T. Callender, después de que se le negara un puesto de director de correos, alegó que Jefferson había tomado a Hemings como concubina y que había engendrado varios hijos con ella. En 1998, un grupo de investigadores realizó un estudio de ADN-Y de los descendientes vivos del tío de Jefferson, Field, y de un descendiente del hijo de Hemings, Eston Hemings. Los resultados, publicados en noviembre de 1998, mostraron una coincidencia con la línea masculina de Jefferson. Posteriormente, la Fundación Thomas Jefferson (TJF) formó un equipo de investigación compuesto por nueve historiadores para evaluar el asunto. En enero de 2000 (revisado en 2011), el informe de la TJF concluyó que "el estudio de ADN... indica una alta probabilidad de que Thomas Jefferson fuera el padre de Eston Hemings". El TJF también concluyó que Jefferson probablemente fue el padre de todos los hijos de Heming que figuran en Monticello.

En julio de 2017, el TJF anunció que las excavaciones arqueológicas en Monticello habían revelado lo que, según ellos, eran los aposentos de Sally Hemings, adyacentes al dormitorio de Jefferson. En 2018, el TJF dijo que consideraba la cuestión "un asunto histórico resuelto". Desde que se hicieron públicos los resultados de las pruebas de ADN, el consenso entre la mayoría de los historiadores ha sido que Jefferson tuvo una relación sexual con Sally Hemings y que fue el padre de su hijo Eston Hemings.

Sin embargo, una minoría de estudiosos sostiene que las pruebas son insuficientes para demostrar la paternidad de Jefferson de forma concluyente. Basándose en el ADN y otras pruebas, señalan la posibilidad de que otros varones de Jefferson, incluido su hermano Randolph Jefferson y cualquiera de los cuatro hijos de Randolph, o su primo, pudieran haber sido los padres de Eston Hemings o de los otros hijos de Sally Hemings.

Tras la muerte de Thomas Jefferson, aunque no se le concedió formalmente la manumisión, la hija de Jefferson, Martha, permitió a Sally Hemings vivir en Charlottesville como mujer libre con sus dos hijos hasta su muerte en 1835. La Asociación de Monticello se negó a permitir a los descendientes de Sally Hemings el derecho a ser enterrados en Monticello.

Intereses y actividades

Jefferson era un agricultor, obsesionado con los nuevos cultivos, las condiciones del suelo, los diseños de jardines y las técnicas agrícolas científicas. Su principal cultivo comercial era el tabaco, pero su precio solía ser bajo y rara vez era rentable. Intentó alcanzar la autosuficiencia con trigo, verduras, lino, maíz, cerdos, ovejas, aves de corral y ganado para abastecer a su familia, sus esclavos y sus empleados, pero vivía perpetuamente por encima de sus posibilidades y siempre estaba endeudado.

En el campo de la arquitectura, Jefferson ayudó a popularizar el estilo neopaladiano en Estados Unidos utilizando diseños para el Capitolio del Estado de Virginia, la Universidad de Virginia y Monticello, entre otros. Jefferson aprendió arquitectura de forma autodidacta, utilizando varios libros y diseños arquitectónicos clásicos de la época. Su principal autoridad fue *Los cuatro libros de arquitectura de* Andrea Palladio, que describe los principios del diseño clásico.

Se interesaba por los pájaros y el vino, y era un notable gastrónomo; también era un prolífico escritor y lingüista, y hablaba varios idiomas. Como naturalista, le fascinaba la formación geológica del Puente Natural, y en 1774 consiguió adquirirlo mediante una subvención de Jorge III.

Sociedad Filosófica Americana

Jefferson fue miembro de la Sociedad Filosófica Americana durante 35 años, desde 1780. A través de la sociedad promovió las ciencias y los ideales de la Ilustración, haciendo hincapié en que el conocimiento de la ciencia reforzaba y ampliaba la libertad. Su obra *Notes on the State of Virginia (Notas sobre el estado de Virginia)* fue escrita en parte como contribución a la sociedad. Se convirtió en el tercer presidente de la sociedad el 3 de marzo de 1797, unos meses después de ser elegido vicepresidente de los Estados Unidos. Al aceptar, Jefferson declaró: "No siento ninguna cualificación para este distinguido cargo, sino un sincero celo por todos los objetivos de nuestra institución y un ardiente deseo de ver el conocimiento tan diseminado a través de la masa de la humanidad que pueda finalmente llegar incluso a los extremos de la sociedad, mendigos y reyes".

Jefferson fue presidente de la APS durante los siguientes dieciocho años, incluso durante los dos mandatos de su presidencia. Introdujo a Meriwether Lewis en la sociedad, donde varios científicos le instruyeron en la preparación de la expedición de Lewis y Clark. Dimitió el 20 de enero de 1815, pero se mantuvo activo a través de la correspondencia.

Lingüística

Jefferson se interesó durante toda su vida por la lingüística y podía hablar, leer y escribir en varios idiomas, como el francés, el griego, el italiano y el alemán. En sus primeros años, destacó en las lenguas clásicas durante su estancia en un internado, donde recibió una educación clásica en griego y latín. Más tarde, Jefferson llegó a considerar la lengua griega como la "lengua perfecta", tal y como se expresa en sus leyes y su filosofía. Mientras asistía al College of William & Mary, aprendió por su cuenta el italiano. Aquí Jefferson se familiarizó por primera vez con la lengua anglosajona, especialmente en lo que se refiere al derecho común y al sistema de gobierno ingleses, y estudió la lengua a nivel lingüístico y filosófico. Poseía 17 volúmenes de textos y gramática anglosajones y más tarde escribió un ensayo sobre la lengua anglosajona.

Jefferson afirmó haber aprendido por sí mismo el español durante su viaje de diecinueve días a Francia, utilizando únicamente una guía de gramática y un ejemplar del *Quijote*. La lingüística desempeñó un papel importante en la forma en que Jefferson modeló y expresó sus ideas políticas y filosóficas. Creía que el estudio de las lenguas antiguas era esencial para comprender las raíces del lenguaje moderno. Recogió y comprendió varios vocabularios de los indios americanos e instruyó a Lewis y Clark para que registraran y recogieran varias lenguas indias durante su Expedición. Cuando Jefferson se mudó de Washington tras su presidencia, metió 50 listas de vocabulario de los nativos americanos en un cofre y las transportó en un barco fluvial de vuelta a Monticello junto con el resto de sus posesiones. En algún momento del viaje, un ladrón robó el pesado cofre, pensando que estaba lleno de objetos de valor, pero su contenido fue arrojado al río James cuando el ladrón descubrió que sólo estaba lleno de papeles. Posteriormente, se perdieron 30 años de coleccionismo, y sólo se rescataron algunos fragmentos de las fangosas orillas del río.

Jefferson no era un orador destacado y prefería comunicarse por escrito o permanecer en silencio si era posible. En lugar de pronunciar él mismo sus discursos sobre el Estado de la Unión, Jefferson escribía los mensajes anuales y enviaba a un representante para que los leyera en voz alta en el Congreso. Esto inició una tradición que continuó hasta 1913, cuando el presidente Woodrow Wilson (1913-1921) decidió pronunciar su propio discurso sobre el Estado de la Unión.

Invenciones

Jefferson inventó muchos pequeños dispositivos prácticos y mejoró inventos contemporáneos, como un atril giratorio y un "Gran Reloj" impulsado por la atracción gravitatoria de las balas de cañón. Mejoró el podómetro, el polígrafo (un dispositivo para duplicar la escritura) y el arado de vertedera, una idea que nunca patentó y que pasó a la posteridad. A Jefferson también se le puede atribuir la creación de la silla giratoria, la primera de las cuales creó y utilizó para escribir gran parte de la Declaración de Independencia.

Como ministro en Francia, Jefferson quedó impresionado por el programa de estandarización militar conocido como *Système Gribeauval,* e inició un programa como presidente para desarrollar piezas intercambiables para las armas de fuego. Por su inventiva e ingenio, recibió varios títulos honoríficos de Doctor en Derecho.

Reputación histórica

Jefferson es un icono de la libertad individual, la democracia y el republicanismo, aclamado como autor de la Declaración de Independencia, arquitecto de la Revolución Americana y hombre renacentista que promovió la ciencia y la erudición. La democracia participativa y el sufragio ampliado que defendió definieron su época y se convirtieron en una norma para las generaciones posteriores. Meacham opina que Jefferson fue la figura más influyente de la república democrática en su primer medio siglo, sucedido por los presidentes James Madison, James Monroe, Andrew Jackson y Martin Van Buren. A Jefferson se le reconoce haber escrito más de 18.000 cartas de contenido político y filosófico a lo largo de su vida, lo que Francis D. Cogliano describe como "un legado documental... sin precedentes en la historia de Estados Unidos por su tamaño y amplitud".

La reputación de Jefferson decayó durante la Guerra Civil estadounidense, debido a su apoyo a los derechos de los estados. A finales del siglo XIX, su legado fue ampliamente criticado; los conservadores consideraban que su filosofía democrática había dado lugar al movimiento populista de esa época, mientras que los progresistas buscaban un gobierno federal más activista de lo que permitía la filosofía de Jefferson. Ambos grupos consideraban que la historia reivindicaba a Alexander Hamilton, más que a Jefferson, y el presidente Woodrow Wilson llegó a describir a Jefferson como "aunque un gran hombre, no un gran estadounidense".

En la década de 1930, Jefferson gozaba de mayor estima; el presidente Franklin D. Roosevelt (1933-1945) y los demócratas del Nuevo Trato celebraron sus luchas por "el hombre común" y lo reivindicaron como fundador de su partido. Jefferson se convirtió en un símbolo de la democracia estadounidense en la incipiente Guerra Fría, y las décadas de 1940 y 1950 vieron el cenit de su reputación popular. Tras el movimiento por los derechos civiles de las décadas de 1950 y 1960, la esclavitud de Jefferson fue objeto de un nuevo escrutinio, sobre todo después de que las pruebas de ADN realizadas a finales de la década de 1990 respaldaran las acusaciones de que había sido padre de múltiples hijos con Sally Hemings.

*

Vea todos nuestros libros publicados aquí:

https://campsite.bio/unitedlibrary

Lightning Source UK Ltd.
Milton Keynes UK
UKHW020637281222
414497UK00026B/435